ROME ET GENÈVE
À LA CROISÉE DES CHEMINS
(1968-1972)
UN ORDRE DU JOUR INACHEVÉ

JAN GROOTAERS

ROME ET GENÈVE À LA CROISÉE DES CHEMINS (1968-1972) UN ORDRE DU JOUR INACHEVÉ

Préface par
KONRAD RAISER

CONSEIL ŒCUMÉNIQUE
DES ÉGLISES
www.wcc.coe.org
GENÈVE

LES ÉDITIONS DU CERF
www.editionsducerf.fr
PARIS

2005

Rome et Genève à la croisée des chemins appartient à la série de publications créée par les Éditions du Cerf en collaboration avec les publications du Conseil œcuménique des Églises.

Le Conseil œcuménique des Églises

Fondé en 1948, le Conseil œcuménique des Églises (COE) est aujourd'hui une communauté fraternelle de plus de trois cent quarante Églises chrétiennes « qui confessent le Seigneur Jésus Christ comme Dieu et Sauveur selon les Écritures et s'efforcent de répondre ensemble à leur commune vocation pour la gloire du seul Dieu, Père, Fils et Saint-Esprit ». Issu de mouvements internationaux regroupés autour de thèmes tels que la mission et l'évangélisation, le christianisme pratique, la foi et la constitution, l'éducation chrétienne et l'unité de l'Église, le Conseil œcuménique se compose principalement d'Églises protestantes et orthodoxes. L'Église catholique romaine n'est pas membre du Conseil œcuménique des Églises mais elle participe à beaucoup d'activités et de dialogues avec le COE et ses membres.

Imprimé en France

© *Les Éditions du Cerf*, 2005
www.editionsducerf.fr
(29, boulevard La Tour-Maubourg
75340 Paris Cedex 07)

ISBN 2-204-07539-6

PRÉFACE

Lorsque des observateurs extérieurs qui s'intéressent à la communauté des Églises membres du Conseil œcuménique des Églises apprennent que l'Église catholique romaine n'en fait pas partie, ils sont souvent étonnés et demandent une explication. La réaction est même plus forte de la part de ceux pour qui la pleine participation de l'Église catholique aux instances œcuméniques, au niveau local et national, est une réalité incontestée, et aussi un critère pour évaluer le Conseil œcuménique : sans l'appartenance de l'Église catholique, ils considèrent que le Conseil ne sera plus le moteur principal de l'œcuménisme. Rares sont ceux, cependant, qui connaissent l'histoire des réflexions entreprises, au début des années 1970, sur la possible entrée de l'Église catholique au Conseil, et les raisons qui ont conduit à une absence de résultat définitif.

Ce manque de connaissance est dû en partie au fait que, à l'époque, les discussions entreprises n'ont donné lieu qu'à une information partielle. C'est ainsi que le rapport du Groupe mixte de Travail de l'Église catholique et du Conseil œcuménique sur « Patterns of Relationships / Modèles de relations » entre les deux organismes a été publié en juillet 1972, mais seulement dans l'*Ecumenical Review*, la revue trimestrielle du Conseil œcuménique. Contrairement à ce qui avait été convenu antérieurement, il n'a jamais été rendu public par les organes de l'Église catholique. Sa publication comportait une préface co-signée par le cardinal Jan Willebrands, qui présidait alors le Secrétariat romain pour l'Unité des chrétiens, et par le secrétaire général du Conseil œcuménique de l'époque, le pasteur Eugene Carson Blake. Cette préface, tout en indiquant certaines limites du document, exprimait l'espoir que sa publication pourrait « stimuler un débat plus large et une exploration plus profonde de toute la question de ces relations plus étroites entre l'Église catholique et le Conseil œcuménique… À l'heure actuelle, il n'est pas réaliste de fixer une date à laquelle on pourrait donner une réponse à la question de savoir si l'Église catholique devrait demander à en devenir membre. On ne peut pas s'attendre à ce qu'une telle demande soit faite dans un proche avenir. »

Au départ, on avait envisagé qu'une lettre du Secrétariat pour l'Unité des chrétiens expliquerait les raisons qui ont conduit les autorités du Vatican à la décision de ne pas poursuivre la question de son adhésion, en tout cas « dans un proche avenir ». Pourtant, cette lettre n'a jamais été écrite. Quand le Groupe mixte de Travail a présenté, en 1975, son quatrième rapport officiel, il a laissé entendre quelques-unes des raisons. « Il ne fait aucun doute que l'Église catholique pourrait accepter la base du Conseil œcuménique des Églises, mais il existe des facteurs, dont certains ont un fondement théologique, qui à l'heure actuelle militent contre l'adhésion catholique romaine en tant qu'expression visible des relations entre l'Église catholique et le Conseil œcuménique des Églises. Dans une beaucoup plus large mesure que d'autres Églises, l'Église catholique voit sa constitution de communauté universelle dotée d'une mission et de structures universelles comme un élément essentiel de son identité. La qualité de membre du Conseil pourrait poser de réels problèmes pastoraux à de nombreux catholiques romains du fait que la décision d'appartenir à une communauté mondiale d'Églises pourrait facilement être mal comprise. Il y a aussi la manière dont l'autorité est considérée dans l'Église catholique, et les moyens par lesquels elle s'exerce. Il y a enfin des différences pratiques dans le mode d'action et jusque dans le style et l'effet des déclarations publiques. » (*Briser les barrières*. Rapport officiel de la 5ᵉ assemblée du Conseil œcuménique des Églises, Nairobi, 23 novembre-10 décembre 1975. Par Marcel Henriet, Paris, L'Harmattan, 1976, p. 374).

À part cette explication (semi-officielle), rien d'autre n'a été dit qui aurait pu encourager et guider de nouvelles discussions. Cependant, en 1985, deux observateurs très compétents, qui avaient fortement contribué à donner forme à la collaboration entre l'Église catholique et le Conseil œcuménique des Églises, ont fait connaître, rétrospectivement, leur lecture des événements du début des années 1970. Le premier fut Thomas F. Stransky, C. S. P., ancien membre du Secrétariat pour l'Unité des chrétiens et membre du Groupe mixte de Travail, qui écrivit un article pour l'*Ecumenical Review*, sous le titre « A Basis beyond *the* Basis » / Une base au-delà de *la* Base » (vol. 37, avril 1985, p. 218 et 220). Il fait référence à certaines questions difficiles posées pendant l'étude du sujet, et qui restèrent en partie sans réponse. Puis il écrit : « L'erreur catholique, en 1972, peut ne pas avoir été la décision du Saint-Siège de ne pas devenir membre du Conseil œcuménique des Églises. L'erreur, selon moi, c'est la façon dont on est parvenu à cette décision… En 1972, le Saint-Siège arrêta la consultation en cours et anticipa seul la décision » (p. 219). Et il conclut que, en conséquence, « une image dominante préjudiciable » persiste en ce qui concerne la collaboration entre l'Église catholique et le Conseil œcuménique des Églises.

La seconde contribution est venue de celui qui fut le premier secrétaire général du Conseil œcuménique des Églises, le pasteur Willem A. Visser 't Hooft. Pendant les mois qui ont précédé sa mort, en juillet 1985, le pasteur Visser 't Hooft a rédigé un manuscrit sur « Le développement des relations entre Rome et le mouvement œcuménique ». Il concluait cette étude historique détaillée de la période 1910-1984 par quelques remarques personnelles, qui furent publiées dans l'*Ecumenical Review* (vol. 37, juillet 1985, p. 336 et suiv.). Le texte complet de cette étude a, depuis, été publié en français par les Éditions du Cerf dans le livre *W. A. Visser 't Hooft, pionnier de l'œcuménisme. Genève-Rome*. Textes présentés par Jacques Maury (Paris/Lyon, 2001). Dans ces remarques personnelles, Willem Visser 't Hooft examine l'appartenance de l'Église catholique au Conseil, puis il conclut : « Je ne crois pas qu'une large consultation aurait conduit à une décision positive concernant l'adhésion. Je pense que nous aurions tous ensemble découvert que le problème structurel posé par l'adhésion de l'Église catholique au Conseil œcuménique des Églises restera insoluble, à moins que soit l'Église catholique soit le Conseil œcuménique des Églises n'effectuent des changements radicaux dans leurs propres structures. » Soulignant, en particulier, que le Conseil œcuménique des Églises est une communauté d'Églises nationales autonomes, il ajoute : « Introduire dans un tel organisme une Église de dimension mondiale, dont la structure principale est celle d'un gouvernement central et de sa juridiction universelle, c'est introduire en lui un élément étranger. » Et en conclusion, il affirme : « Peut-être n'est-il pas trop tard pour clarifier la situation et supprimer ainsi des incompréhensions et des contrariétés que la décision abrupte de 1972 a provoquées et pour arriver à une compréhension de la vraie nature du problème des relations que, d'une façon ou d'une autre, nous devons résoudre pour la bonne santé du mouvement œcuménique. »

Dans ce contexte, l'étude de Jan Grootaers est particulièrement intéressante. Elle a d'abord été publiée en traduction anglaise par l'*Ecumenical Review*, sous le titre « An Unfinished Agenda. The Question of Roman Catholic Membership of the World Council of Churches, 1968-1975 » (vol. 49, juillet 1997, p. 305-347). La décision des Éditions du Cerf de publier le texte original français sous la présente forme est pour moi une grande joie et une réelle satisfaction. Jan Grootaers a été, pendant longtemps, un observateur et un chroniqueur perspicace du mouvement œcuménique, et a centré toutes ses attentions sur le concile Vatican II et sa réception au sein de l'Église catholique. Sur la base de sa connaissance approfondie des rouages internes du Vatican et du Conseil œcuménique, grâce à sa correspondance et ses rencontres avec les personnes qui y étaient directement engagées, et à une étude attentive des archives, il a pu récapituler tout l'historique des discussions et des décisions de 1970 à 1972. Son exposé remarquable permet de comprendre, dans un contexte historique plus large, pourquoi, de part et d'autre, les dirigeants ont hésité, dans les circonstances de l'époque, à prendre une décision définitive. Son interprétation des événements s'appuie sur de nombreuses notes documentaires. Il offre ainsi un chef-d'œuvre de recherche historique objective, qui devra être

pris en considération par tous ceux qui continuent à
réfléchir, actuellement, à la façon d'exprimer de manière
adéquate la « communion réelle, bien qu'imparfaite », qui
existe entre l'Église catholique et les Églises membres du
Conseil œcuménique des Églises.

Jan Grootaers termine son ouvrage par une postface
– sous le titre « Quelle incompatibilité ? » – mettant en
question une affirmation de Visser 't Hooft qui, en 1954,
avait parlé d'« une profonde incompatibilité entre la
compréhension catholique romaine de l'unité et celle
professée par toutes les autres Églises ». Grootaers estime
que la nouvelle compréhension de la « catholicité » qui s'est
développée parmi les théologiens catholiques romains et
ceux d'autres traditions pourrait permettre d'aller au-delà de
cette incompatibilité. La catholicité, dit-il, « a une signification plus riche que l'universalité » ; c'est un concept dynamique qui contribue au renouveau de l'Église. La catholicité
est à la fois un don et une tâche. D'ailleurs, à l'époque même
où la question de l'appartenance au Conseil a été étudiée,
le Groupe mixte de Travail a présenté un important document sur le thème « Catholicité et apostolicité ». Quelques
années auparavant, l'assemblée du Conseil œcuménique des
Églises à Uppsala avait, dans l'une de ses sections, réfléchi
au thème « Le Saint-Esprit et la catholicité de l'Église ». Un
renouveau du sens de la catholicité comme un don et comme
une tâche pourrait sans doute aider les Églises à manifester
davantage la communion qu'elles partagent déjà.

Dr Konrad Raiser,
Secrétaire général
du Conseil œcuménique
des Églises,
Genève, mai 2004.

AVANT-PROPOS

Les résultats concrets du concile Vatican II (1962-1965) dans ses textes concernant l'unité des chrétiens et plus encore en son orientation générale en présence d'observateurs des Églises non catholiques, avaient spontanément fait naître l'attente générale d'un rapprochement entre l'Église catholique et le Conseil œcuménique des Églises, entre Rome et Genève. Cette tendance à prendre en considération une adhésion de Rome au Conseil de Genève prit, dès l'abord, le nom de *membership*.

Les premières concertations officielles autour de ce terme un peu magique de *membership* commencèrent dès 1969. Et, bien sûr, nul ne savait alors combien de temps ces procédures mises en route allaient durer ni à quoi elles aboutiraient exactement. Nous avons eu le privilège de commencer, dès ces débuts incertains, la collecte de documents authentiques et inédits et de commentaires confidentiels des acteurs mêmes de ces discussions.

Aujourd'hui, nous savons qu'il a fallu une longue patience et une grande diversité de procédures pour conclure... de ne pas conclure. En effet, les réflexions qui furent menées de 1969 à 1972 n'aboutirent pas réellement. L'ordre du jour qui devait conduire à l'adhésion de l'Église catholique au Conseil œcuménique des Églises ne fut pas achevé, et ce manque de dénouement eut au moins un avantage : celui de pouvoir réactualiser la problématique à l'avenir. Et c'est là que les travaux de l'historien peuvent avoir une certaine utilité.

C'est un peu comme si l'ordre du jour inachevé s'était trouvé en hibernation et, en même temps, faisait entendre un appel à remettre le *membership* sur le métier.

Il y a huit ans, les encouragements du Dr Konrad Raiser firent en sorte que le dossier que nous avions constitué petit à petit put refaire surface et émerger de son « purgatoire ». Le secrétaire général du Conseil œcuménique des Églises nous a fait confiance en considérant que nos recherches historiques pouvaient peut-être rendre un regain d'actualité au *membership* à la veille de l'assemblée de Harare (décembre 1998).

Je lui suis reconnaissant de m'avoir ainsi encouragé à rédiger un article qui parut alors dans la prestigieuse *The Ecumenical Review* (juillet 1997). Et nous avions une sorte d'intuition que pareille publication allait peut-être réveiller certains aspects de l'actualité au milieu de la crise du moment.

Trois catégories de sources.

Le présent volume contient davantage que l'article relativement long auquel l'*Ecumenical Review* a donné à l'époque une généreuse hospitalité. Aujourd'hui, nous savons gré aux Éditions du Cerf d'avoir accepté de joindre au récit de l'historien et du chroniqueur une douzaine de documents entièrement inédits.

Une *première* série de ces annexes apporte au lecteur des documents œcuméniques à caractère officiel mais restés inédits (ANNEXES I à VI en fin d'ouvrage). La *deuxième* série propose huit lettres personnelles qui jettent un jour direct sur les actes mais aussi sur les acteurs (ANNEXES A à F). Plus proches de ces lettres personnelles, il y a encore une *troisième* catégorie de sources. Nos rencontres fréquentes avec les acteurs engagés dans l'ordre du jour ont donné lieu à de nombreuses conversations personnelles. Celles-ci ont été aussitôt consignées à leur date dans un *Diarium* qui, en son temps, sera accessible en tant qu'archives. Ces confidences reflètent l'action du moment telle qu'elle est vécue par les protagonistes eux-mêmes. C'est dire qu'elles peuvent parfois jeter un éclairage particulier sur l'événement et son interprétation. Nous avons l'espoir que le caractère inédit de ces annexes et de ces entretiens pourra non seulement illustrer l'objet de notre ouvrage mais aussi encourager la réflexion et la recherche, car Rome et Genève se trouvent encore toujours à la croisée des chemins...

Sans avoir l'ambition de rédiger une liste complète de ceux qui sont nos « créanciers » au cours de ces années de recherches, il convient de remercier ceux qui détenaient la *potestas clavium* et qui, généreusement, nous ont permis à des titres divers d'avoir accès à certains documents. Il convient de mentionner particulièrement le père René Beaupère (Centre Saint-Irénée, à Lyon), Mgr Leo Declerck (archives diocésaines de Bruges), M. Pierre Beffa (archives du Conseil œcuménique à Genève), le professeur Hervé Legrand (Institut catholique de Paris et légataire du Fonds Christophe Dumont), le père Stjepan Schmidt (archives du Secrétariat pour l'Unité à Rome), dom Emmanuel Lanne (du monastère de Chevetogne, permettant l'accès à quelques archives personnelles), M. Étienne D'hondt (directeur de la bibliothèque de la Faculté de théologie, Katholieke Universiteit Leuven).

Enfin, j'ai une dette particulière à l'égard de mon collaborateur André Tourneux, conseiller de tous les jours, correcteur de texte et aussi traducteur efficace, enfin animateur lorsque la flamme devait être ravivée. Qu'il en soit remercié ici.

JAN GROOTAERS.

1

DES PROMESSES DE MARIAGE
(d'Uppsala, 1968 à Naples, 1970)

Il était tout naturel que l'orientation générale du concile Vatican II (1962-1965) et que les textes concernant l'Église et les Églises qu'il avait promulgués, débouchent à bref délai sur des initiatives officielles qui allaient rapprocher l'Église catholique et le Conseil œcuménique des Églises, et promouvoir leur coopération au plan institutionnel.

Déjà avant Vatican II et au cours de celui-ci, les deux personnalités dirigeantes qu'étaient le cardinal Augustin Bea – président du Secrétariat romain pour l'Unité des chrétiens – et le Dr Willem Adolph Visser 't Hooft – secrétaire général du Conseil œcuménique de Genève – avaient eu une série d'entretiens confidentiels qui réussirent d'emblée à établir une atmosphère de bonne entente et de confiance mutuelle[1].

C'est en février 1965 qu'eut lieu la visite officielle du cardinal Bea au siège du Conseil œcuménique des Églises à Genève, accueilli par les discours officiels du Dr Visser 't Hooft et du pasteur Boegner, ancien président du Conseil. La constitution d'un Groupe mixte de Travail (ou *Joint Working Group*, en anglais) fut alors annoncée, un

---

1. Ces quatre rencontres préliminaires eurent lieu à Milan (septembre 1960), à Rome (décembre 1960 et janvier 1963) et de nouveau à Milan (avril 1964). Pour plus de détails, il convient de consulter Kardinal A. BEA & W.A. VISSER 'T HOOFT, *Friede zwischen Christen*, Fribourg-en-Brisgau, 1966, dont l'introduction historique, rédigée par Mgr Jan Willebrands, révèle les détails de cette phase préparatoire.

groupe au sein duquel des délégués de Genève et de Rome seraient chargés d'étudier les nouvelles tâches œcuméniques du moment ainsi que les moyens pour les réaliser[1].

Un an plus tard, la participation active de l'Église catholique à la fameuse assemblée de *Church and Society*, tenue à Genève en juillet 1966, marqua un pas de plus vers un rapprochement, mais cette fois à l'égard des urgences du problème social et du Tiers Monde.

À la suite de cette assemblée aux répercussions nombreuses parmi les jeunes Églises, il fut procédé à l'organisation d'un comité mixte Sodepax (1967), ce nouvel organisme encourageant de la part de Genève et de Rome le mouvement de justice sociale internationale, de développement et de promotion de la paix.

Enfin, en 1968, on devait apprendre la nomination de neuf théologiens catholiques comme membres à titre officiel de Foi et Constitution, département du Conseil œcuménique chargé de la recherche doctrinale.

Mais aucune de ces différentes étapes que nous avons esquissées ici n'avait encore pu toucher le grand public non catholique quant à l'entrée active de Rome dans le mouvement œcuménique. Ouvrier de la onzième heure, le monde catholique allait peut-être donner l'impression de vouloir brûler les étapes.

Le véritable coup d'envoi de la candidature de l'Église catholique à devenir membre plénier du Conseil œcuménique

---

1. Au cours du Comité central du Conseil œcuménique en janvier 1965 (à Enugu au Nigeria) avait été approuvée la constitution d'un Groupe mixte de Travail avec l'Église catholique pour étudier les principes et les méthodes de collaboration avec elle, en accord avec les autorités romaines. Il s'agit d'une forme de collaboration entre deux organismes dissemblables à caractère temporaire et afin de préparer des liens plus « organiques ». Il est prévu que ce groupe de travail se réunisse au moins une fois par an. Voir *La Documentation catholique* 62 (1965) p. 369-375 ; 66 (1969) p. 648 (concernant la nouvelle composition du Groupe mixte de Travail) ; 67 (1970) p. 644-650 (concernant la réunion de mai 1970 à Naples). Il convient de faire ici référence à l'étude significative de Catherine E. CLIFFORD, *The Joint Working Group between the World Council of Churches and the Roman Catholic Church : historical and ecclesiological perspectives*, Fribourg (Suisse), 1987, 116 p. + 11 p. de bibliographie.

fut donné à l'Assemblée générale du Conseil qui se tint à Uppsala (Suède) en juillet 1968. Même si la participation officielle de Rome à cette assemblée générale était encore faible, au point de vue numérique et à l'égard du statut des catholiques comme simples *observateurs*, la présence catholique, sous différents aspects, a fait de l'Église romaine une des vedettes imprévues de l'événement Uppsala 1968.

Le point culminant de cette présence catholique fut incontestablement l'exposé remarquable fait en plénière par le père Roberto Tucci, rédacteur en chef de la revue « officieuse » de Rome *La Civiltà Cattolica*.

Alors que Roberto Tucci n'était qu'un orateur parmi d'autres dans la série des porte-parole d'Églises non membres, son appel à la fraternité œcuménique eut un tel retentissement qu'après coup l'auditoire eut la conviction que le jésuite italien avait été programmé comme un des *key-note speakers*.

Le *break-through* de ce discours tenait autant à son ton direct, sincère, en quête d'une nouvelle fraternité, qu'à son contenu nuancé. Or, au centre de ce discours, se trouvaient évoqués la possibilité de l'admission de l'Église catholique romaine au *membership* du Conseil de Genève et les inconvénients de sa non-appartenance à ce Conseil.

Roberto Tucci déclarait : « Ou bien faut-il également, dès maintenant, considérer sérieusement la possibilité que l'Église catholique romaine puisse un jour devenir membre, au sens fort, du Conseil œcuménique ? Je sais bien que la question est très délicate et qu'elle soulève de nombreux problèmes. Les difficultés qui pourraient être soulevées par l'ecclésiologie romaine ne semblent pas, toutefois, au jugement d'experts soit catholiques, soit non catholiques, constituer un obstacle infranchissable. » Et il poursuivait quelques instants plus tard : « D'autre part, on ne peut se dissimuler les aspects négatifs qu'à la longue pourra avoir sur l'ensemble du mouvement œcuménique la non-appartenance de l'Église de Rome au Conseil œcuménique, surtout le risque d'accroître les chances d'une dangereuse tension entre non-catholiques et œcuménisme catholique [1]. »

----

1. Voir R. TUCCI, « The Ecumenical Movement, the World Council

Il n'en fallait pas davantage pour que le thème du *membership* de l'Église catholique soit mis officiellement à l'ordre du jour du Groupe mixte de Travail. Une fois que ce groupe avait accepté de souligner l'unicité du mouvement œcuménique, le projet d'une adhésion catholique romaine allait s'imposer [1].

Toute la procédure, vue à vol d'oiseau, s'échelonne sur quatre années, de 1969 à 1972 :

a. 1969 est l'année des *propositions décisives*, rapidement agréées par les instances compétentes, le Comité central du Conseil œcuménique et la *Plenaria* du Secrétariat pour l'Unité à Rome :
- instauration d'une sous-commission comme groupe rédactionnel,
- désignation des six membres de ce groupe,
- la rédaction d'un projet de rapport initial ;

b. 1970 est l'année du *projet d'une adhésion*, des *amendements* au projet et des premières *difficultés* qui surgissent mais dont le caractère décisif n'est pas encore perçu par tous ;

c. 1971 : le *membership* s'éloigne ;

d. 1972 : l'échec est mis à l'ordre du jour et enfin reconnu ouvertement.

Selon le pasteur Lukas Vischer, la mise à l'ordre du jour du *membership* découlait de plusieurs facteurs dont la coopération croissante qui se développait de plus en plus

---

of Churches and the Roman Catholic Church », *The Uppsala Report 1968*, Genève, 1968, p. 323-333, et en français, la langue de l'exposé, dans *La Documentation catholique* 65 (1968) p. 1486-1487.

1. La question du caractère *unique* du mouvement œcuménique, liée à celle du *centre* prioritaire du mouvement, avait fait l'objet d'un débat parfois polémique entre des catholiques romains et des membres du staff de Genève au lendemain de l'annonce d'un concile, convoqué dans une perspective œcuménique. Au Groupe mixte de Travail à Gwatt (mai 1969), l'accord s'était fait autour du fameux texte du Dr N. Nissiotis, *On the one ecumenical Movement*. Cependant un catholique romain comme le père Christophe Dumont et certains représentants de l'orthodoxie grecque persistèrent à considérer cet accord comme inacceptable. Ce rejet est invoqué par le père Dumont comme un argument pour refuser, en décembre 1970, le projet d'une adhésion de Rome au Conseil de Genève.

dans divers domaines entre Genève et Rome, à l'aide de nombreuses structures bilatérales [1]. La multiplication de ces structures, qui entraînait une duplication d'organismes particuliers, était une solution peu satisfaisante, qui finalement plaidait en faveur d'un véritable *membership*.

L'AIDE-MÉMOIRE DE 1969 ET LE COMITÉ DES SIX

La mise en train de la procédure pour le *membership* se retrouve dans l'aide-mémoire (ou *Drafted Minute*), dont le projet fut introduit par le Dr Lukas Vischer à Gwatt en mai 1969 et ensuite accepté par le Comité central du Conseil œcuménique à Canterbury (août 1969) et discuté à la *Plenaria* du Secrétariat pour l'Unité à Rome (novembre 1969).

Cet aide-mémoire de Gwatt invoquait, lui aussi, la multiplication d'activités latérales pour proposer de nouvelles formes de relations entre Genève et Rome. On y lit notamment :

Nous devrions ainsi préparer progressivement des nouvelles formes à mettre en place en temps utile. Différentes hypothèses se présentent à l'esprit. À titre d'exemple citons-en trois :
– l'entrée de l'Église catholique romaine dans le Conseil œcuménique des Églises à titre de membre ;
– la création d'une nouvelle association fraternelle de l'Église avec un statut différent ;
– l'organisation d'un travail coordonné entre le Conseil œcuménique des Églises et l'Église catholique romaine.
Quoique ces différentes hypothèses méritent d'être étudiées objectivement et sereinement, c'est néanmoins la première qui se présente à notre examen pour l'instant. En effet le Conseil œcuménique des Églises est une association fraternelle d'Églises qui existe déjà depuis 20 ans. C'est donc un fait charismatique

1. L. VISCHER, « The Activities of the Joint Working Group between the Roman Catholic Church and the World Council of Churches 1965-1969 », *The Ecumenical Review* 22 (1970) p. 37-69, particulièrement p. 67-69.

dont la considération s'impose à nous d'une façon prioritaire. Cette analyse est une tâche normale pour le Groupe mixte de Travail auquel il appartient d'étudier les méthodes de la collaboration [1].

Ce sont là les trois possibilités ou options dont la discussion avec variantes et précisions va accompagner les discussions au cours des trois années à venir :

a. soit que l'Église catholique devienne membre du Conseil œcuménique – bien sûr selon diverses procédures à examiner (option A) ;

b. soit que l'on procède à une nouvelle association d'Églises avec un statut différent (option B) ;

c. soit qu'une meilleure coordination puisse être organisée entre le Conseil œcuménique et l'Église catholique (option C).

Ainsi que l'indique l'aide-mémoire, c'est la première solution qui, dès le début, a retenu toute l'attention.

Deux événements ont marqué les douze mois qui vont de Gwatt (mai 1969) à Naples (mai 1970) : en premier lieu la visite officielle du pape Paul VI et en second lieu la mise au travail d'un groupe rédactionnel mixte.

Tout d'abord, il y a la visite officielle de Paul VI le 10 juin 1969 au siège du Conseil œcuménique des Églises à Genève. Le discours du chef de l'Église catholique romaine prononcé à cette occasion fut en même temps un encouragement à étudier de près l'éventuelle adhésion au Conseil de Genève et une exhortation à la patience devant le manque de maturité et les graves implications théologiques et morales de cette question.

Le résumé rapide que Paul VI donna d'abord de la coopération en cours prenait son inspiration dans l'aide-mémoire du Groupe mixte de Travail à Gwatt, et son exhortation à la

---

1. Groupe mixte de Travail, Gwatt, 12-17 mai 1969, *Drafted Minute*, distribué comme Document de séance n° 16 au Comité central de Canterbury, p. 2, repris dans *Minutes and reports of the Central Committee*, Canterbury, août 1969, p. 45-50. Le lecteur en trouvera le texte complet en français en fin de volume (ANNEXE I).

nécessaire conversion intérieure faisait référence au décret de Vatican II sur l'œcuménisme.

Le mouvement de « balancier » caractéristique du style montinien a rendu l'interprétation exacte du passage sur le *membership* variable selon que l'on comprenait l'exhortation à étudier l'adhésion comme un encouragement ou que l'on interprétait l'accent mis sur les implications théologiques et pastorales comme une mise en garde. Au moment même, la plupart des observateurs ont fait de ce discours une lecture positive, alors que plus tard certains y ont découvert une prémonition de développements plutôt critiques. Il est clair qu'au moment même cette première visite d'un pontife romain au centre œcuménique de la route de Ferney à Genève fut perçue comme un événement positif d'une portée extraordinaire [1].

Non moins important est le second événement de cette même année : la constitution d'un groupe rédactionnel mixte qui, en exécution de la résolution de Gwatt, est chargé d'étudier la question de l'adhésion de l'Église catholique au Conseil œcuménique des Églises et de faire un rapport à ce sujet.

---

1. Voir notamment la conférence de presse donnée le 7 juin 1969 à Rome dans la salle de presse du Saint-Siège par le père Jérôme Hamer, soulignant la signification œcuménique de l'événement. Lors d'une interview (parue dans *La Vie protestante* du 20 juin 1969), Lukas Vischer déclarait : « En langage parlementaire, je dirai donc que le pape a voté la *prise en considération* (concernant le *membership*). C'est très important même si on ne voit pas maintenant à quoi nous aboutirons. » Dans la revue catholique *Choisir* (juin 1969, p. 3), le même dirigeant du Conseil œcuménique caractérisait le passage de Paul VI comme un pas « vers une nouvelle étape ». Quant au cardinal Jan Willebrands, il ne manqua pas de consacrer une page entière de *L'Osservatore Romano* (15 juin 1969 ; édition de langue française du 27 juin 1969) à « l'importance d'une visite œcuménique ». Le commentaire était aussi un rappel de la réalité des problèmes à résoudre. Dans un commentaire ronéotypé à usage interne, intitulé « A personal evaluation of the papal visit, its preparation and the echoes it got », le pasteur Albert H. van den Heuvel (chef de département au Conseil œcuménique) faisait remarquer que le « monde extérieur » avait souvent mal compris le passage du discours au sujet du *membership*, tandis que les fonctionnaires du Conseil qui avaient été présents avaient compris ce paragraphe « comme ouvert et positif ».

Voici la composition de ce petit comité rédactionnel, souvent appelé le Comité des Six :
– *Délégués de Genève* : David Paton (anglican), Lukas Vischer (réformé suisse et dirigeant de département au Conseil œcuménique), Nikos Nissiotis (Église orthodoxe grecque et dirigeant de l'Institut d'Études du Conseil œcuménique à Bossey) ;
– *Délégués de Rome* : John Long (du Secrétariat romain pour l'Unité des chrétiens), Emmanuel Lanne (moine de Chevetogne et professeur de théologie à Rome), Bernard Law (chargé des affaires œcuméniques pour l'épiscopat des États-Unis).
Ce Comité des Six tint quatre concertations : 1. en décembre 1969 à Rome : réunion préparatoire ; 2. le 11 mars 1970 à Bossey : rédaction pendant trois jours du projet de rapport sur le *membership* ; 3. les 19-21 juin 1970 : mise au point du projet de rapport après les observations de mai 1970 à Naples ; 4. les 12-15 août 1970 à Cartigny : mise au point finale du texte du rapport après l'*Officers meeting* du début août 1970 [1].

LA RÉUNION DU GROUPE MIXTE DE TRAVAIL À NAPLES
(25-30 MAI 1970)

C'est le premier projet de rapport, intitulé *The Roman Catholic Church and the World Council of Churches*, daté du 23 mars 1970 et rédigé par le Comité des Six, qui se trouve sur la table du Groupe mixte de Travail, en sa dixième réunion, en mai 1970 à Naples. Il s'agit d'un moment crucial de la préparation de l'adhésion de Rome. Le compte rendu de Naples consacre près de la moitié de son

---

1. Une rédaction finale sous la direction du père Long est datée du début août 1970. Cependant, à la concertation finale de la mi-août à Cartigny, il y eut plusieurs absents (notamment le père J. Long, malade), mais le père Duprey y participa. Il y eut alors de nombreuses modifications, mais, selon le témoignage de dom E. Lanne, ne concernant pas des points importants. Voir notre *Diarium*, cahier n° 101 du 6 février 1971.

texte à l'échange de vues portant sur le *membership* en préparation [1].

Le premier rapport est introduit par un calendrier des étapes à venir, qui prévoit que le texte, après avoir été amendé, sera soumis aux autorités respectives et fera ensuite l'objet d'une large consultation. Cependant, en juin 1970, le Comité des Six planifiait que le document serait d'abord envoyé pour information aux conférences épiscopales catholiques et ensuite soumis à la *Plenaria* du Secrétariat romain (novembre 1970) et au Comité central du Conseil œcuménique (janvier 1971), à la suite de quoi le rapport serait soumis à l'approbation de Paul VI. Cette procédure accélérée aurait dû aboutir à une demande formelle d'adhésion au Comité central du Conseil œcuménique de 1972.

Le projet de rapport de Naples comprenait deux parties : 1. des considérations théologiques et pastorales ; 2. des observations concernant les modes d'organisation. Il s'agissait principalement de présenter d'une part une description du Conseil œcuménique des Églises et de l'adhésion éventuelle de l'Église catholique romaine – y compris l'interprétation que l'Église catholique donnait au mouvement œcuménique –, et d'autre part une esquisse de la représentation catholique romaine dans les articulations du Conseil œcuménique, tenant compte aussi de l'insertion actuelle de Rome dans les conseils chrétiens locaux et dans la coopération avec Genève.

Étant donné le caractère « massif » du nombre de croyants appartenant à l'Église catholique, il existait un accord préalable prévoyant qu'au sein de l'Assemblée générale du Conseil de Genève, l'Église catholique accepterait d'être numériquement sous-représentée.

Dans le rapport reçu à Naples, on prévoyait que la part de Rome dans l'Assemblée du Conseil œcuménique se situerait entre un cinquième et un tiers du total des membres avec droit de vote. C'était là une prévision globale, même si quelques corrections n'étaient pas exclues à l'avenir.

---

1. On trouvera le compte rendu inédit de cette réunion à la fin de cet ouvrage (ANNEXE III).

D'autre part, quant à la composition intérieure de cette délégation catholique, on avait prévu : a. une représentation du Saint-Siège qui pouvait aussi bien comprendre des délégués laïques que des prélats et des dirigeants de la curie romaine ; b. une représentation des conférences épiscopales qui en feraient la demande ; on croyait savoir que certaines conférences allaient préférer s'abstenir (comme, par exemple, l'Église uniate de Grèce).

En ce qui concerne la proportion entre les deux catégories a. et b. sus-nommées, on veillerait qu'elle serait similaire à la proportion qui existait en 1967 dans la composition du synode des évêques à Rome. Cet « équilibre » semblait, à l'époque, être représentatif du régime de vie actuel au sein de l'Église catholique.

Enfin, on prévoyait dès l'abord qu'un certain nombre de catholiques seraient nommés fonctionnaires dans le staff du Conseil œcuménique, afin d'apprendre à vivre et à travailler ensemble [1].

La question complexe des relations et de la représentation de l'apport des catholiques qui faisaient déjà partie des « conseils nationaux d'Églises » ou de « conseils chrétiens locaux » est un autre chapitre dont il sera question ailleurs.

Ce document de travail, conçu dans une perspective optimiste, reçut un accueil généralement favorable à l'assemblée de mai 1970 à Naples. On peut dire sans exagérer qu'une large majorité du Groupe mixte de Travail a alors souscrit à ce qui fut compris comme de véritables « promesses de mariage ».

Certains lecteurs fronceront peut-être les sourcils devant ce vocabulaire imagé : qu'ils sachent qu'à l'époque il était devenu courant de parler à cet égard de « fiançailles ».

Certains y adhèrent sans aucune restriction, d'autres en proposant des amendements. Quelques-uns, dont Mgr Willebrands, mettent en garde contre les risques d'un optimisme quelque peu illusoire.

---

1. Pour ces détails, on pourra en son temps consulter notre entretien avec dom Emmanuel Lanne le 7 juin 1970, dans notre *Diarium*, cahier n° 94.

À l'occasion de la présentation générale du rapport, le père Long (du Secrétariat pour l'Unité des chrétiens) rappela les trois options principales :

a. soit une adhésion au Conseil œcuménique des Églises pour en devenir membre ;

b. soit une nouvelle association fraternelle *(fellowship)* d'Églises avec un statut différent du Conseil actuel ;

c. soit une intensification et une coordination des structures des relations existantes déjà entre l'Église catholique et le Conseil œcuménique.

Parmi les amendements proposés, plusieurs suggèrent de relier entre elles ces trois options principales que le Comité des Six a lui-même hérité de l'aide-mémoire de l'assemblée de Gwatt, qui, en son temps, avait donné priorité à la voie de l'adhésion au Conseil de Genève comme reconnaissance de l'unicité du mouvement œcuménique.

Des intervenants comme Borovoy, Verghese, le Métropolite Parthenios et Duprey demandent de parvenir à l'adhésion au Conseil œcuménique (option A) par des stades intermédiaires en partant d'une coordination plus poussée de la coopération actuelle (option C) et en passant par une nouvelle association fraternelle d'Églises (option B). L'argument en faveur de cette solution par étapes est évidemment qu'elle permet une maturation des esprits.

Quelques intervenants seulement paraissent critiques à l'égard du rapport proposé. Mais ce ne sont pas les moindres : l'évêque Thomas Holland (Grande-Bretagne) et le cardinal Jan Willebrands. Celui-là se déclare opposé à l'option de l'adhésion et déclare que la sous-commission est sortie des limites de son mandat. Quant au président du Secrétariat pour l'Unité des chrétiens, il estime que la nécessité de restructurer le Conseil œcuménique n'a pas été suffisamment examinée et que la préparation des fidèles doit être prise en considération devant les risques du mouvement actuel (appelé souvent) « post-œcuménique ».

Ce mouvement traduit une impatience qui constitue une véritable crise de l'œcuménisme à la base.

Plus tard, Willebrands exprimera le souhait que les catholiques prennent mieux conscience de la valeur d'un rapprochement avec les familles confessionnelles et insiste surtout pour que toute décision soit retardée afin de respecter la liberté de choix des catholiques et l'autorité des conférences épiscopales.

Au lendemain d'Uppsala, Willebrands avait eu connaissance du fait que Paul VI avait marqué au père Tucci sa désapprobation du discours quelque peu flamboyant que celui-ci avait prononcé devant l'Assemblée. Pour se justifier, Tucci déclara au pape qu'il ne l'avait pas prévenu afin de ne pas l'entraîner malgré lui dans cette initiative. Très loyalement, Willebrands prit la défense de Tucci auprès de Paul VI.

Le père Jérôme Hamer, pour sa part, se montre moins circonspect et propose au contraire un calendrier très serré qui prévoit la publication du document prônant l'adhésion dès le Comité central du Conseil œcuménique de janvier 1971 (à Addis-Abeba) et une discussion au synode des évêques catholiques en octobre 1971. Cette proposition est généralement bien accueillie, sauf chez quelques-uns. Le même père Hamer propose de développer concrètement l'option B – nouvelle association fraternelle d'Églises – en présentant trois possibilités : 1. soit une association des grandes familles confessionnelles mondiales, 2. soit une association des conseils nationaux d'Églises, 3. soit une association de différents mouvements œcuméniques (à la base) ou de personnalités. (Pour cette catégorie, l'auteur avait entre autres pensé au mouvement international *Pax Romana*, qui, bien avant Vatican II, avait l'expérience d'engagements œcuméniques.)

Les objections émises ensuite par Mgr Holland avaient une portée fondamentale ; l'évêque anglais craignait que certains n'aient l'impression que le Conseil œcuménique possédait une espèce de réalité ecclésiologique et, en outre, que le désaccord éventuel du Saint-Père avec des motions du Conseil ne puisse que devenir source de confusion.

Tant Verghese que Borovoy dirent leur conviction qu'en adhérant l'Église catholique ne devait rien abandonner de sa propre autorité ni de son ecclésiologie : mais il revenait à l'Église catholique elle-même de prendre une décision à cet égard.

Le père Borovoy répéta ici ce qu'il avait déjà invoqué au Comité central de Canterbury (août 1969), à savoir qu'il

convenait de repousser l'option B à cause des graves conséquences que cette option pourrait entraîner pour l'avenir[1].

En conclusion de cet échange de vues, décision fut prise
que le Comité des Six était chargé de la révision du projet de
texte, tenant compte des remarques faites.

Après un premier remaniement de l'aide-mémoire
(Drafted Minute) de la réunion, au cours de la séance, il fut
demandé au comité rédactionnel de tenir compte des objections et des hésitations de certains membres à l'égard des
trois options, et de ne pas anticiper sur le choix de l'Église
catholique[2].

Deux autres précautions furent obtenues en fin de discussion : d'abord que la révision finale soit réservée à un
Officers Meeting en août 1970 et que le rapport annexé au
rapport général du Groupe mixte de Travail soit présenté en
tant que « document d'étude ».

Par la suite, le Comité des Six aura donc une nouvelle
concertation (juin 1970). La rédaction définitive sera établie
à l'*Officer's Meeting* du Groupe mixte de Travail (au début
d'août 1970), ainsi que nous l'indiquerons encore.

À lire le compte rendu de l'ensemble de l'échange de
vues du groupe de travail à Naples et à voir la faveur spontanée avec laquelle le premier document sur le *membership*
y est généralement accueilli, on est frappé par le caractère

---

1. Les délégués de l'Église orthodoxe russe craignaient qu'une modification aussi fondamentale du Conseil œcuménique soit mal accueillie
par le gouvernement soviétique et que celui-ci prenne la décision
d'interrompre les bonnes relations de l'Église russe avec Genève :
motifs évidemment non mentionnés dans le rapport. À l'époque, des
voix s'étaient fait entendre dans la presse soviétique, qui exigeaient le
retrait de l'Église russe du Conseil œcuménique de Genève.

2. Il fut décidé de formuler la résolution comme suit : « Une nouvelle
approche plus équilibrée est nécessaire. Les objections et les hésitations
exprimées par quelques membres du Groupe mixte de Travail à propos
des trois options doivent être clairement formulées. Le Rapport doit bien
montrer que le document d'étude n'a pas à présager de la décision de
l'Église catholique quant aux différentes options », *Joint Working
Group. Tenth Meeting*, Naples, 25-30 mai 1970. Ref. Roman Catholic
Church / World Council of Churches mai 1971, p. 8, archives du
Conseil, Bibliothèque du Conseil œcuménique à Genève (notre traduction de l'anglais).

dynamique de la majorité qui anime le groupe mixte. Ce dynamisme apparaît particulièrement dans le calendrier établi pour la suite de la procédure, calendrier proposé et défendu par le père Jérôme Hamer.

Cependant, la minorité plus réservée préfigure à Naples le courant qui, du côté catholique, va s'exprimer en force au Secrétariat romain six mois plus tard ; il n'en reste pas moins vrai qu'au mois de mai 1970 la grande majorité du Groupe mixte de Travail est encore animée par un enthousiasme hérité de l'assemblée d'Uppsala, mais qui, par la suite, sera perçu comme une sorte d'euphorie.

2

LE VENT TOURNE

La convocation annuelle de l'assemblée plénière (appelée *Plenaria*) constitue toujours un moment important dans la vie et l'évolution du Secrétariat pour l'Unité à Rome. Cette assemblée en représente l'organe de la plus haute autorité. Mais, en novembre 1970, cette *Plenaria* revêt une signification particulière en ce qui concerne l'éventualité d'une adhésion de l'Église catholique au Conseil œcuménique des Églises.

La *Plenaria* du Secrétariat pour l'Unité à Rome et le Comité central du Conseil œcuménique sont les deux instances responsables qui sont chargées de prendre en considération le rapport sur le *membership* que le Groupe mixte de Travail de mai 1970 a mis au point.

Or les signes avant-coureurs d'une attitude plus réticente de Rome ont déjà pu être perçus à la réunion de l'*Officers Meeting* du groupe de travail du 1er août (confirmée à la réunion suivante du même groupe le 22 septembre 1970).

Concernant certaines réticences nouvelles perceptibles à cet *Officers Meeting*, où le leadership du Groupe Mixte de Travail se concerte en petit comité, nous disposons du témoignage clairvoyant du Dr Lukas Vischer. Dès le 22 août 1970, date à laquelle nous eûmes le privilège d'un entretien privé avec le Dr Vischer à Genève, celui-ci avait déjà l'intuition que la dynamique de Naples risquait d'être en perte de vitesse [1].

À la réunion du début août 1970, le staff du groupe de travail s'est aperçu que le rapport sur le *membership* ne serait pas achevé à temps pour être envoyé aux évêques en septembre, comme cela avait été prévu. L'affaire n'était pas encore « mûre » et certains craignaient des réactions réticentes des épiscopats de certains pays. Rome ne voulait pas prendre de décision sans consulter les évêques et pareille consultation ne pouvait pas être brusquée.

Cette intuition de Lukas Vischer va, par la suite, s'avérer exacte. Selon le dirigeant du Conseil de Genève, il y avait le cas de pays anglophones où la population catholique de tradition récente gardait encore à l'époque un sentiment de minorisation dans la société ambiante. En Angleterre et aux États-Unis, ce catholicisme de « minorité » tenait à conserver son « prestige » et certains de ses dirigeants craignaient qu'une adhésion de Rome à un Conseil œcuménique d'origine protestante et anglicane ne provoque une perte de ce « prestige ». Il y avait aussi le cas des pays où l'épiscopat catholique avait refusé d'adhérer à un « conseil des Églises » au plan national [2].

Le Dr Vischer prévoyait que le calendrier esquissé à Naples en mai allait devoir subir des modifications. Il posait la question de savoir si les nouvelles hésitations de Mgr Willebrands provenaient d'un entretien avec le pape ou bien de sa propre initiative. Cette question, que beaucoup d'observateurs à l'époque se sont posée, trouvera une réponse – nous semble-t-il – à la fin de ce chapitre.

Il n'est pas aisé et cependant il est nécessaire de bien saisir la signification des délibérations du Secrétariat romain en novembre 1970. S'il est bien clair qu'à cette occasion « le vent a tourné », il n'y est cependant pas encore question

---

1. Voir notre *Diarium*, cahier n° 98, en date du 22 août 1970.
2. Il ne fait pas de doute que, par exemple, le catholicisme minoritaire de Grande-Bretagne n'était à cet égard aucunement préparé à Vatican II et à l'ouverture œcuménique de Jean XXIII. La « conversion » générale de l'Église catholique en Angleterre après le Concile n'en sera que plus méritoire. Cette mutation est apparue au grand jour à l'occasion de la visite de Jean-Paul II en Angleterre au début de son pontificat.

d'un retrait aussi explicite que, plus tard, dans le rapport Hamer, présenté au Comité central du Conseil œcuménique à Addis-Abeba en janvier 1971.

Cependant, entre novembre 1970 et le début de 1971, il y eut d'autres démarches qui ont accéléré les événements et dont il sera question ici. Il est donc nécessaire de bien percevoir les nuances qui ont marqué la *Plenaria* du Secrétariat de Rome en novembre 1970.

Alors que les témoignages personnels des principaux acteurs, que nous avons pu recueillir à l'époque même de l'événement, sont parfois contradictoires ou manquent d'homogénéité [1], les documents d'archives permettent heureusement aujourd'hui d'approcher de près la réalité [2]. Il est clair que la lecture de ceux-ci a été grandement facilitée par l'apport de ceux-là.

Quatre documents de séance balisent le déroulement de la discussion de la réunion plénière concernant le rapport du Groupe mixte de Travail au sujet de l'éventuelle adhésion au Conseil œcuménique et des modalités de celle-ci : le rapport du père Hamer, secrétaire du Secrétariat romain, la note introductive rédigée par le cardinal Willebrands, président, le « Commentaire » que celui-ci a rédigé et enfin les résolutions finales.

Lorsque l'assemblée entame ses travaux le 3 novembre 1970 au matin, c'est pour écouter l'allocution d'ouverture du cardinal Willebrands [3] et le rapport du père Hamer.

---

1. Ainsi, pendant le second semestre de 1970, nous avons pu nous entretenir avec un nombre considérable de témoins engagés, notamment avec Mgr E. J. De Smedt, avec le Dr L. Vischer, avec le père R. Tucci, avec dom E. Lanne, avec le Dr A. van den Heuvel. Voir notre *Diarium*, cahiers n°s 98, 100 et 101.

2. Pour la documentation de la *Plenaria*, les archives De Smedt (évêché de Bruges) ont été particulièrement précieuses ; leur lecture m'a été facilitée par l'obligeance de Mgr Leo Declerck, du père Stjepan Schmidt et avec l'aide du cardinal Bernardin (voir ANNEXES A, D et E).

3. À la suite d'une répartition des tâches avec le père Hamer, le cardinal Willebrands, dans son discours d'ouverture, ne touche pas à la question du *membership*. Cependant, il attire l'attention sur le renouvellement de la composition de la *Plenaria* avec aussi une réduction du nombre de ses membres, qui est passé de 40 à 30 évêques « pour une

Ce dernier indique clairement à l'assemblée qu'il ne sera pas demandé aux évêques présents de se prononcer sur le *membership*, « encore moins les invitera-t-on à voter sur l'entrée ». On attend des membres de la *Plenaria* « de nous dire ce que [vous] pensez de l'étude qui est en cours, de nous proposer [vos] suggestions pour la poursuite de cette étude » [1].

Après avoir cité le discours remarqué de Paul VI au siège du Conseil à Genève (en juin 1969), qui a parlé d'un « cheminement qui pourrait être long et difficile », le rapporteur rappelle que l'Église catholique doit en toute liberté, selon ses propres exigences intérieures, procéder à l'étude de la question : « aucune pression extérieure (sous-entendu de la part de Genève) ne s'exercera sur elle. Personne ne peut lui imposer une échéance » en ce qui concerne la décision d'une éventuelle candidature au Conseil œcuménique.

Il appartient à la *Plenaria* de se prononcer sur le calendrier à adopter, sans pour autant perdre de vue que l'adhésion comme membre n'est que l'une des hypothèses à envisager, tandis que les deux autres, à savoir la création d'une nouvelle association d'Églises et la poursuite de la collaboration entre deux entités indépendantes, méritent également notre attention.

À la fin de ce chapitre, le père Hamer propose « quelques remarques personnelles » de teneur parfois critique. Parmi celles-ci figure une interrogation particulièrement significative : « Ne faut-il pas donner la priorité à l'expérience locale ? » Cette question est posée peu de temps après le synode épiscopal qui avait traité du rôle des conférences épiscopales (octobre 1969) et au cours d'une réunion plénière dont l'ordre du jour allait précisément débattre des relations avec les épiscopats [2].

---

large part aux dépens de l'Europe ». Voir Secrétariat pour l'Unité des chrétiens, *Service d'information*, n° 13, février 1971, p. 4.

1. Rapport du secrétaire, le père Jérôme Hamer, Secrétariat pour l'Unité des chrétiens, *Service d'information*, n° 13, février 1971, p. 9-14, plus particulièrement p. 11.

2. *Ibid.*, p. 12.

Enfin, un point révélateur de ce rapport se trouve dans le passage où Hamer esquisse les étapes du *long cheminement* annoncé. L'auteur prévoit en effet que la prochaine assemblée générale du Conseil œcuménique se tiendra en 1975 et ce n'est qu'alors que celle-ci pourra se prononcer sur une éventuelle candidature de l'Église catholique (prévision fondée sur le précédent constitué par l'adhésion du patriarcat de Moscou à l'assemblée de New Delhi en 1961) : « Une décision en 1975 demande que tout soit prêt au début de 1974. Pour une démarche de cette importance, le délai est relativement bref. » Cette indication semble confirmer que le père Hamer croit encore que le « cheminement » pourrait atteindre son but.

Quant à la « Note » présentée par le cardinal Willebrands à l'ouverture de la session, elle est d'un ton nettement plus réservé que celui du rapport Hamer.

Le président du Secrétariat pour l'Unité reconnaît au rapport du Groupe mixte de Travail une valeur de « document d'étude ». Il ne peut être considéré comme suffisant, d'abord parce qu'on n'y trouve pas de réponse à la question centrale : « Est-ce que l'Église catholique servira mieux le mouvement œcuménique en devenant membre du Conseil œcuménique ou, au contraire, en demeurant non-membre [1] ? »

En outre, les formes de collaboration autres que le *membership* ne sont pas encore suffisamment étudiées. Pour sa part, le cardinal Willebrands, contredisant la conclusion générale du rapport du Groupe mixte de Travail, estime que la poursuite du système actuel de collaboration sans *membership* pourrait s'avérer comme la plus réaliste et actuellement préférable. Toutefois cette poursuite pourrait précisément préparer un développement ultérieur vers une adhésion future [2].

---

1. Selon le témoignage de Mgr De Smedt, c'était là le critère principal qui inspirait l'attitude de Mgr Willebrands.

2. Sur ce point, le cardinal Willebrands adhère à une des considérations conclusives du rapport du Groupe mixte de Travail, où il est dit qu'une collaboration poursuivie et accrue pourrait être un facteur contribuant à conduire à une véritable adhésion. Cette considération reflète

Cependant le cardinal président reste réservé, soulignant que rien encore n'est définitif tant que l'on ne connaît pas « le résultat des discussions ».

Le cardinal Willebrands présente aussi à l'assemblée un « Commentaire » à caractère officiel, qui est appelé à accompagner nécessairement le rapport du Groupe mixte de Travail et qui constitue un projet de texte soumis à l'appréciation de la *Plenaria*.

Ce projet de « Commentaire » est, en fait, basé sur la « Consultation » préparatoire, qui a réuni onze experts à la veille de l'assemblée plénière [1].

Le cardinal Willebrands, reprenant l'essentiel de la « Consultation » mais en l'articulant de manière quelque peu différente, répète d'abord le « critère principal » déjà évoqué dans sa « Note » : « Comment pouvons-nous mieux servir l'unique mouvement œcuménique ? »

Quant au rapport du Groupe mixte de Travail sur le *membership*, c'est à ses yeux un document utile mais incomplet : il ne présente pas de solution, car il reconnaît clairement que la question d'une candidature éventuelle au Conseil œcuménique doit être décidée par la *seule* Église catholique. Si celle-ci doit poser des questions au Conseil, il n'en reste pas moins vrai que la décision finale et la

---

l'opinion de plusieurs membres du groupe de travail à la réunion de Naples en mai 1970.

1. Archives E. J. De Smedt, évêché de Bruges, Plenaria 1970, Secr. nov. 70, n° 153. Le groupe d'experts s'est réuni du 27 au 30 octobre 1970 ; en voici la composition : B. Law (Washington), J. Medina Estevez (Santiago de Chili), A. Bellini (Bergamo), Werner Becker (Leipzig), C. J. Dumont (Rome), E. Lanne (Chevetogne), J. Long (Vatican), J. Quinn (Édimbourg), Thomas Stransky (Scarsdale), Rosemary Goldie (Vatican). Voir Secrétariat pour l'Unité des chrétiens, *Service d'information*, n° 13, février 1971, p. 3. Ce groupe d'étude était présidé par le père Long et avait pour rapporteur le père Stransky, deux membres du personnel du Secrétariat pour l'Unité. Cette Consultation fait un certain nombre d'observations, parfois très critiques, et soulève des objections reprises par la suite dans les discussions. Cette réunion d'experts est une concertation sur le *membership* où les catholiques se retrouvent entre eux et semblent exprimer plus librement les réserves qu'ils ont alors sur le cœur. On peut utilement comparer cette réunion à la Consultation de juin 1969, qui prépare la *Plenaria* de novembre 1969. Pour cette consultation de 1969, voir en fin d'ouvrage l'ANNEXE II.

procédure pour y parvenir reposent entièrement sur l'Église catholique[1].

Suivent alors, dans une première section, quatre aspects du document du groupe de travail sur le *membership* demandant à être étudiés plus profondément :

1. *Quel est l'avenir du mouvement œcuménique et quelle est la stratégie commune que les Églises devraient adopter ?* (Du point de vue catholique une priorité logique revient aux Églises plutôt qu'aux conseils d'Églises.)

2. *Comment le Conseil œcuménique envisage-t-il ce que sera sa fonction principale à l'avenir ? Et quelle est l'échelle de ses priorités ?* (Présenter le Conseil œcuménique de préférence comme une organisation statique est considéré comme inadéquat au moment où le Conseil repense ses structures.)

3. *Comment et dans quelle mesure le Conseil œcuménique influence-t-il la pensée et les décisions des Églises membres ?* (Il serait utile de savoir si les Églises membres elles-mêmes jugent que l'effort d'être membre du Conseil œcuménique en vaut la peine et engage leur responsabilité à différents niveaux.)

4. *Dans quelle mesure les catholiques romains sont-ils effectivement œcuméniquement engagés aux niveaux national et local ?* (C'est en termes d'abstraction juridique que le rapport présente l'Église catholique ; sa vie œcuménique est manifestée en premier lieu par les déclarations normatives du IIe concile du Vatican, comme si leur

---

1. Voir archives E. J. De Smedt, évêché de Bruges, Plenaria 1970 Secr. nov. 70, n° 180, p. 2 *et passim*. Le « Commentaire » auquel il est souvent fait référence manque dans la plupart des archives. Nous ignorons les circonstances qui ont empêché sa publication. Lorsque le rapport du Groupe mixte de Travail paraît dans *The Ecumenical Review* 24 (juillet 1972) p. 247-288, la préface du cardinal Willebrands et du Dr Blake annonce formellement qu'un article expliquant les réserves de la *Plenaria* à l'égard du rapport sera publié ultérieurement : trente-cinq ans plus tard, cette publication n'a toujours pas eu lieu. Si l'on peut faire l'hypothèse que l'article annoncé correspond au texte critique et réservé du « Commentaire », il y a un intérêt historique évident à publier aujourd'hui ce document d'archives. C'est ce que nous faisons en appendice dans cet ouvrage (ANNEXE IV).

acceptation et leur implication se reflétaient de façon égale dans les actes de tout laïc, prêtre et évêque, et cela à tous les niveaux de la vie de l'Église.)

Les considérations plus « spécifiques » constituent la seconde section du « Commentaire » du président du Secrétariat pour l'Unité à Rome. Cette partie du texte évoque principalement les lacunes du rapport : la description des activités œcuméniques de l'Église catholique reste partielle ; les tensions intérieures à l'Église catholique et l'engagement politique des Églises comme telles dans le domaine œcuménique doivent encore être examinés de près ; enfin, on peut se poser la question de savoir dans quelle mesure le Conseil œcuménique ne risque pas d'être un instrument qui contribue à cristalliser les divisions existantes…

De nombreux experts du Secrétariat pour l'Unité, dont certains avaient participé à l'atmosphère quelque peu « euphorique » du Groupe mixte de Travail à Naples, éprouvèrent une réelle déception devant les échanges de vues des évêques à la *Plenaria*. Non seulement le niveau jugé très bas de la discussion fut décevant, mais aussi l'attitude craintive de nombreux évêques devant un Conseil œcuménique qui leur était inconnu. Il faut rappeler que le Secrétariat pour l'Unité avait subi une mutation, mais comment fallait-il comprendre cette mutation ?

Le bruit avait couru que le nombre des évêques membres du Secrétariat avait été réduit de manière draconienne. Quel qu'en ait été le motif, leur nombre serait tombé à quinze (selon une information de l'hebdomadaire américain *National Catholic Reporter*). Le cardinal Willebrands voulut bien nous rassurer à l'époque par une lettre où il écrivait : « J'ignore d'où provient cette rumeur. La vérité est que les membres de l'assemblée générale sont ramenés de 40 à 30. Après l'expérience de quelques années, nous sommes arrivés à la conclusion que ce dernier chiffre suffisait et que, de cette manière, l'assemblée générale pouvait bien fonctionner. L'idée de cette modification provient de l'assemblée générale et du staff du Secrétariat. Peut-être est-ce une erreur qu'une quinzaine d'anciens membres ont été maintenus dans la nouvelle composition[1] » (notre traduction du néerlandais).

Cependant, selon d'autres sources, l'inconvénient ne provenait pas du fait d'avoir maintenu d'anciens membres en fonction mais au contraire d'avoir recruté de nouveaux membres qui, malheureusement, ne disposaient que de très peu d'expérience œcuménique. Certains experts à l'époque ne cachaient pas leurs appréhensions à cet égard.

Les évêques présents étaient pour la plupart des nouveaux venus encore en « rodage » œcuménique ; certains semblaient même ignorer complètement la genèse et la signification du Conseil de Genève. La proportion de membres qui provenaient des jeunes Églises était en hausse et surtout les retombées de la crise postconciliaire au niveau des Églises locales commençaient à impressionner de nombreux pasteurs.

L'attitude très réservée d'un ancien leader de l'œcuménisme à Vatican II, tel que Mgr E. J. De Smedt, évêque de Bruges, est assez typique de la réunion plénière de novembre 1970[2]. Selon l'opinion de l'évêque de Bruges à la *Plenaria*, le Conseil œcuménique ne possédant pas de véritable doctrine sur l'unité, la collaboration avec Genève risquait de se situer principalement à un niveau de rapprochement assez vague et concernant le domaine de l'action sociale. Cela entraînait le danger que, « dans nos propres rangs », les aspects doctrinaux soient perdus de vue « alors que l'Église catholique connaît déjà elle-même un courant naturaliste et humaniste[3] ».

---

1. Lettre du cardinal Willebrands, datée du 12 octobre 1970, déposée dans nos archives personnelles (J. Gr.).
2. Nous avons conservé le compte rendu de l'exposé fait par Mgr De Smedt à la Commission nationale pour l'œcuménisme de Belgique à Louvain le 14 novembre 1970, c'est-à-dire au lendemain de la *Plenaria* à Rome. Nous avions aussi rencontré l'évêque de Bruges à Rome à la veille de cette assemblée du Secrétariat. Voir notre *Diarium*, cahier n° 101.
3. Il n'est pas sans intérêt de noter ici que Mgr De Smedt, à la même époque, s'est opposé formellement à l'instauration d'un cours d'initiation à la problématique œcuménique, proposée par certains à la Faculté de théologie de l'Université catholique de Leuven.

Finalement, Mgr De Smedt avait la conviction que le Secrétariat pour l'Unité devait « pousser plus avant l'étude du problème » d'une éventuelle adhésion [1]. Le caractère équivoque de ce vœu ne semble pas être dû au hasard.

L'examen en profondeur, lors de la *Plenaria* de 1970, de la question du *membership* s'est accompli dans trois « groupes linguistiques » restreints [2].

Dans ces échanges à échelle restreinte, on retrouve les principales interrogations qui ont déterminé l'attitude réservée de la majorité des évêques. En s'inspirant du calendrier établi le 21 septembre 1970, on avait prévu que le synode épiscopal de 1973 serait l'occasion d'une discussion approfondie, mais la majorité des évêques présents exigea qu'aucun document ne soit envoyé au synode sans avoir recueilli au préalable l'avis des conférences épiscopales.

Quant au « Commentaire » rédigé par le cardinal Willebrands, il est accepté « en substance », mais sa rédaction devra être révisée avant son utilisation.

Le fond du problème suscite quelques pierres d'achoppement.

1. Une éventuelle adhésion au Conseil œcuménique risque-t-elle ou non d'intensifier encore la crise dont témoignent les tensions à l'intérieur de l'Église catholique ?

2. Quels sont les avantages et les inconvénients dans votre partie du monde d'une adhésion et d'un refus de *membership* ?

3. La conception catholique romaine du mouvement œcuménique et la conception des autres Églises causent des tensions qui doivent être mentionnées dans le « Commentaire » (rapport n° 162).

---

1. L'évêque de Bruges se disait aussi très préoccupé de la menace que constituait le développement des sectes marginales en Amérique latine : une situation qui, selon la *Plenaria*, requérait une pastorale œcuménique, encore à élaborer. On notera que le diocèse de Bruges avait généreusement mis de nombreux prêtres à la disposition d'évêques en Amérique latine : De Smedt parlait donc en connaissance de cause.

2. Voir Archives E. J. De Smedt, évêché de Bruges, *Plenaria* 1970 Secr. nov. 70, n°ˢ 162, 165, 166 (et 169). Il s'agit : 1. du groupe restreint anglophone, 2. du groupe restreint francophone, 3. du groupe restreint « latin », qui comprend également les langues italienne et espagnole.

Dans le groupe de langue française, on estime que le rapport du Groupe mixte de Travail ne marquait pas assez le fait que la représentation actuelle du Conseil œcuménique était simplement *dénominationnelle*[1].

À de nombreuses reprises les participants se sont penchés sur le risque créé par le développement actuel du Conseil œcuménique, qui semble accorder trop peu d'importance aux questions doctrinales. La question de l'engagement réel des Églises membres resurgit à nouveau : est-ce que cela pourrait conduire l'Église catholique à participer à l'élaboration de documents non reçus par les autres Églises ? (rapport n° 165.)

Une résolution particulière du groupe dit « latin » exprime le vœu que la procédure en cours soit révisée : l'assemblée plénière, prenant note de l'étude du groupe de travail, estimera qu'une prise en considération de l'entrée éventuelle dans le Conseil œcuménique est prématurée ; l'étude pourra être reprise lorsque le Conseil de Genève aura davantage précisé et établi sa propre nature. Ce même groupe exprime sa préférence pour le dialogue œcuménique direct avec les différentes Églises non catholiques (rapports n°s 166 et 169)[2]. Apparemment, c'est ce dernier groupe restreint qui se montre le plus prudent et le plus conservateur.

Encore fallait-il que les recommandations de différents groupes restreints aboutissent à une mise en forme pour être

---

1. Ne serait-ce pas là – ajoute le compte rendu – une question qui est posée au Conseil œcuménique, dont celui-ci pourrait tenir compte dans la révision actuelle de ses structures ? À un autre endroit, on estime que le document du Groupe mixte de Travail a négligé d'examiner les possibilités de modifications internes du Conseil œcuménique à la suite d'une adhésion de l'Église catholique.

2. Selon un rapport oral que nous avions reçu au lendemain de la *Plenaria* et dont nous avons conservé le compte rendu, certains évêques étaient à ce point sous l'emprise de la peur qu'ils avaient rédigé des « propositions » qui cherchaient à réduire les relations avec Genève à de simples relations d'ordre privé. Ces « propositions » manquaient à ce point du sens des réalités que les responsables de la procédure veillèrent à les faire rayer. Voir notre *Diarium*, cahier n° 101 au début décembre 1970.

l'objet d'un vote en plénière. Le Comité des Résolutions chargé de cette tâche comprenait quatre membres [1].

En ce qui concerne le point de l'ordre du jour qui nous intéresse, on remarque deux *résolutions*, dont la première est la plus significative et doit être citée ici. En voici le texte traduit de l'original latin :

Résolution A.

13.   Suite à la prise en considération attentive du document de la sous-commission mixte ainsi que de l'excellente Note introductive élaborée par la *Consulta*, il apparaît que le problème de l'entrée de l'Église catholique dans le Conseil mondial des Églises *(membership)* nécessite une étude ultérieure. C'est pourquoi il serait très dangereux de bouleverser l'opinion publique par une attente prématurée.

13.1 Le commentaire préparé par la *Consulta* plaît en substance, mais il doit être entièrement recomposé avant d'être communiqué comme instrument de travail aux conférences épiscopales et aux organisations catholiques internationales.

13.2 Les documents préparés ne doivent pas encore être envoyés aux conférences épiscopales ni divulgués. La procédure qui est prévue entre le Conseil mondial et le Secrétariat pour l'Unité des chrétiens est approuvée.

13.3 Le Secrétariat poursuivra seul (et non en commission mixte) l'étude du problème.

---

1. Il s'agissait des évêques suivants : E. J. De Smedt (Bruges), Hermaniuk (Winnipeg), Lamont (Umtali), Primeau (Manchester, USA). Voir Secrétariat pour l'Unité des chrétiens, *Service d'information*, n° 13, février 1971, p. 4. On remarquera que Mgr Primeau, avec son compatriote Helmsing (Kansas City), appartient à la petite minorité qui se montre ouverte au *membership*. Mgr Hermaniuk, maître en théologie de l'Université de Louvain et métropolite de rite oriental à Winnipeg, est, lui aussi, très attentif à l'œcuménisme. S'il est exact que trois quarts des membres de la *Plenaria* étaient opposés à une éventuelle adhésion au Conseil œcuménique, il faut en conclure que la composition du Comité des Résolutions a fait la part belle à la tendance minoritaire de l'assemblée, mieux initiée à la problématique.

13.4 Au besoin, le Secrétariat demandera de plus amples informations d'une part auprès des conférences épiscopales et des experts, et d'autre part auprès du Conseil mondial.

13.5 On examinera de près laquelle des solutions proposées (*membership*, nouvelle forme d'association ou coopération plus étroite) est la plus utile en vue d'atteindre le but proposé, à savoir la restauration de l'unité de l'Église.

13.6 Entre-temps une sincère et généreuse collaboration avec le Conseil mondial sera favorisée de diverses manières[1].

On remarquera tout de suite que le vœu de la *relatio* introductive du père J. Hamer est rencontré dans cette résolution A, notamment la recommandation de ne pas se prononcer sur le *membership* lui-même et encore moins de

1. Le texte original est le suivant :

« 13. *Ex attenta consideratione tum documenti subcommissionis mixtae tum eximiae notae introductoriae a Consulta elaboratae, apparet problema de ingressu Ecclesiae catholicae in Consilium mundiale ecclesiarum* (membership) *ulteriori studio indigere. Inde graviter periculosum esset opinionem publicum praematura exspectatione perturbare.*

13.1 Commentarium, a Consulta praeparatum, quoad substantiam placet, sed de integro reficiendum est antequam ut instrumentum studii conferentiis episcopalibus et organismis catholicis internationalibus communicetur.

13.2 Documenta praeparata nondum ad Conferentias episcopales mittantur aut evulgentur. Probatur procedura quae praevisa est inter Consilium mundiale et Secretariatum pro unitate christianorum.

13.3 Secretariatus ex sola parte sua (et non in commissione mixta) prosequatur studium problematis in silentio et quiete.

13.4 Secretariatus, prout opus est, ampliores informationes petat ex una parte a conferentiis episcopalibus et peritis, ex alia parte a Consilio mundiali.

13.5 Adamussim examinetur quaenam ex propositis solutionibus (membership, *nova forma associationis vel arctior cooperatio) revera magis utilis sit ad attingendum scopum propositum, nempe restaurationem unitatis Ecclesiae.*

13.6 Interea sincera et generosa collaboratio cum Consilio mundiali diversis formis promoveatur. »

(Archives E. J. De Smedt, évêché de Bruges, *Plenaria* 1970 Secr. nov. 70, n° 175.)

voter sur l'adhésion, mais bien de donner un avis sur l'étude en cours et sur la poursuite de celle-ci.

Cependant, la genèse de cette rédaction finale – qui semble être la quatrième version d'une série de tentatives – permet de détecter une évolution considérable. Dans la première version, c'est « le problème concernant l'entrée de l'Église catholique au Conseil œcuménique » qui est présenté comme n'étant pas encore mûr.

De manière générale, on peut attribuer au cardinal Willebrands le mérite d'avoir coulé la version finale dans une forme moins négative qu'à l'origine. La version finale ne se prononce plus sur le *membership* lui-même : elle demande que l'étude du Groupe mixte de Travail soit retravaillée et complétée sur des points importants.

Quel est le statut exact de cette résolution, dont l'approbation semble avoir été de soi ? Grâce aux renseignements du père Stjepan Schmidt des archives du Secrétariat pour l'Unité, nous savons que seul le premier paragraphe du n° 13 (sans les subdivisions 13.1, etc.) a été soumis au vote et approuvé à la quasi-unanimité [1].

Nous devons aussi à la bienveillance de feu le cardinal J. Bernardin, participant éminent aux activités du groupe de travail, une note explicative que le personnel du Secrétariat pour l'Unité a rédigée à notre intention, à la demande de l'archevêque de Chicago. De cette note autorisée apparaît à nouveau le caractère restreint de la résolution de la *Plenaria* de novembre 1970. La note du Secrétariat est datée du 10 janvier 1989. On y lit : « La *Plenaria* du Secrétariat pour l'Unité en 1970, à laquelle se réfère le professeur Grootaers, a pris la matière en considération, sans toutefois aboutir à une décision pour ou contre le *membership* de l'Église catholique dans le Conseil œcuménique des Églises. En réalité, après avoir examiné le document proposé par le Groupe mixte de Travail, elle convint d'une résolution

---

1. La lettre du père Stjepan Schmidt est datée du 16 janvier 1989 (voir ANNEXE A, à la fin de cet ouvrage). Nous tenons à le remercier à nouveau de sa bonne obligeance.

indiquant qu'une étude ultérieure était nécessaire[1] » (notre traduction de l'anglais).

Toujours au sujet de la portée de la résolution du Secrétariat romain en novembre 1970, nous avons le témoignage du père Thomas Stransky, qui à l'époque a été le rapporteur de la Consultation préparatoire à la veille de la réunion plénière. Il nous écrit : « La *Plenaria* du Secrétariat pour l'Unité en novembre 1970 n'a pas voté NON, mais a joint quelques questions supplémentaires[2] » (notre traduction de l'anglais).

Quoi qu'il en soit, la résolution catholique romaine de novembre 1970 indique une opposition certaine par rapport au texte du Groupe mixte de Travail de Naples (mai 1970). Deux points paraissent révélateurs à cet égard. Il y a d'abord cette insistance particulière sur le souci de respecter une discrétion totale[3] : on sent combien l'inquiétude des évêques est grande devant les tensions qui surgissent à l'intérieur de l'Église catholique et, plus particulièrement, dans leur propre Église locale. Il y a ensuite ce ralentissement considérable du calendrier de la procédure, accepté par la *Plenaria*, qui pourrait indiquer que les évêques ressentent le besoin d'un délai pour se familiariser avec Genève, qui apparaît à certains d'entre eux comme une donnée quelque peu effrayante.

Somme toute, il nous paraît très probable que des dirigeants du Secrétariat pour l'Unité des chrétiens, lors de la rédaction finale de la résolution, se sont efforcés

---

1. Cette Note, intitulée « On the Roman Catholic membership in the World Council of Churches », provient du Secrétariat pour l'Unité et est annexée à la lettre que le cardinal Bernardin nous a adressée le 7 février 1989. Nous reproduisons l'entièreté de cette correspondance en fin d'ouvrage dans les ANNEXES D et E.

2. Lettre que le père Thomas Stransky a bien voulu nous adresser le 29 décembre 1988 (voir ANNEXE C, à la fin de cet ouvrage) ; l'article auquel l'auteur fait, par ailleurs, allusion est Th. F. STRANSKY, « A Basis beyond the Basis », *The Ecumenical Review* 37 (April 1985) p. 218-220 ; un témoignage important sur lequel nous reviendrons plus loin.

3. La publication intempestive d'un document de travail dans la revue *IDOC* a eu lieu en mai 1970 ; voir à ce sujet, plus loin, les notes 1 et 2 à la page 119.

d'« arrondir les angles », ces angles dont la *Plenaria* avait brusquement démontré toute l'acuité.

Déjà au Groupe mixte de Travail de Naples en mai 1970, le cardinal Willebrands s'était montré beaucoup plus réticent que le père Hamer devant la proposition d'une procédure accélérée[1]. On peut supposer que le président du Secrétariat pressentait alors les difficultés qui risquaient de surgir à la réunion plénière de son organisme et qu'il a voulu *prévenir une distanciation trop grande* entre les deux assemblées. À la *Plenaria* de novembre 1970, le même Willebrands a *cherché à rapprocher* la résolution votée par les évêques des acquis du Groupe mixte de Travail.

Il faut bien comprendre que Willebrands ici s'est voulu l'homme de la *via media*. Alors que le calendrier établi à Naples, à l'initiative du père Hamer, était nettement « optimiste », le calendrier concerté en août et en septembre avec les dirigeants du groupe de travail était sensiblement moins dynamique que celui de Naples. *Mais aux yeux de la* Plenaria *de novembre 1970, il l'était encore trop tant certains évêques catholiques ressentaient le besoin d'un délai pour se familiariser avec Genève, apparue comme* terra incognita.

En obtenant que le calendrier concerté en septembre soit maintenu tel quel, le cardinal Jan Willebrands a dû vaincre l'hostilité de la tendance majoritaire de l'assemblée plénière du Secrétariat romain.

Une interprétation nuancée de l'attitude de Willebrands pourrait consister à supposer que déjà en mai 1970 à Naples le président du Secrétariat romain avait su que le mouvement de freinage provenant de « la plus haute autorité » – en quelque sorte annoncé par l'attitude réservée de Paul VI à l'égard du discours très dynamique du père Tucci à

---

1. On n'oubliera pas qu'aux réunions des dirigeants du Groupe mixte de Travail en août et en septembre 1970, le cardinal Willebrands avait fait montre d'une attitude très restrictive, notamment en faisant retarder la divulgation du rapport sur le *membership*, qui normalement était prévue en janvier 1971 au Comité central du Conseil œcuménique. Il avait, déjà alors, invoqué l'attitude de certaines conférences épiscopales opposées à une adhésion au Conseil œcuménique, tandis que d'autres épiscopats restaient indifférents.

l'assemblée d'Uppsala et explicité par certaines phrases, comme toujours « balancées » du pape à Genève en juin 1969 – que ce mouvement allait bientôt se manifester plus clairement.

L'attitude dynamique de Willebrands à la *Plenaria* devrait alors être comprise comme une tentative de retarder ce recul en préparation ou même d'y résister. Dans l'état actuel de notre documentation, cette hypothèse n'est pas exclue mais elle paraît moins probable.

En revanche *la portée restreinte de la résolution n° 13* pourrait trouver son origine « en haut lieu », c'est-à-dire dans l'entourage du pape, qui précisément en prévision d'un mouvement de recul voulait garder les mains libres. Quoi qu'il en soit de ces hypothèses de travail, la suite des événements ne va pas manquer de clarté.

UN AVIS D'UN POIDS PARTICULIER

Un mois à peine après la *Plenaria*, les tendances du Secrétariat romain à la conciliation allaient avoir le sentiment de se trouver freinées au « plus haut niveau ».

Dès l'ouverture de la *Plenaria*, les services du Secrétaire d'État avaient reçu le rapport de Naples du Groupe mixte de Travail et la note que le cardinal Willebrands avait présentée à l'ouverture de l'assemblée. À la conclusion de la *Plenaria*, Mgr Benelli, substitut du Secrétaire d'État, s'adresse à un de ses « consulteurs » pour lui demander un avis circonstancié au sujet de cette *Plenaria* qui s'est achevée.

C'est à l'œcuméniste catholique bien connu, le père Christophe-Jean Dumont, o. p., du Centre Istina et de la revue du même nom qu'il est fait appel pour obtenir un avis.

Le père Christophe Dumont (1897-1991) appartient à la première génération de pionniers de « l'œcuménisme catholique ». Après des études consacrées au christianisme oriental et spécialement à l'orthodoxie russe, il a fondé et dirigé le Centre d'études Istina (1931-1967). Grâce à l'appui de Mgr Tisserant et avec le patronage de la Congrégation orientale et de l'Ordinaire de Paris, le Centre a pu être créé à une époque difficile où les œcuménistes catholiques se trouvaient au « purgatoire ». Le père Dumont est resté toute sa vie attaché à la recherche des voies de l'unité chrétienne, particulièrement entre catholiques et orthodoxes. Sa carrière coïncidait avec la période la plus dure du régime soviétique. Elle lui a permis cependant de nouer des liens étroits avec l'orthodoxie française notamment autour de l'Institut de théologie Saint-Serge à Paris. Le but spécifique du Centre Istina sera précisément de faire connaître la place de l'orthodoxie dans l'ensemble de la tâche œcuménique. Le père Dumont résidera à Rome de 1968 à 1979.

Le père Yves Congar s'est souvenu avec reconnaissance de l'œuvre d'*Istina*, dont il fut un collaborateur : « Le père Dumont ne s'est pas consacré à une étude historique ou théologique technique », mais « il a la faculté de *penser* vraiment les situations dans leur conjoncture et dans leur évolution, avec un sens extraordinairement averti des hommes et des choses [1] ».

Lorsqu'en 1977 fut annoncée l'ouverture de conversations officielles entre orthodoxes et catholiques, il était tout naturel que Christophe Dumont en fût un participant. « Homme de toutes les rencontres, le père Dumont n'eut jamais le temps de se livrer à une œuvre écrite. Ses éditoriaux de *Vers l'unité chrétienne* ont été réunis en un volume... Il eut le temps de rédiger un épais volume de souvenirs, qui contient un grand nombre de documents inédits [2]. »

Le père Dumont avait déjà dans le passé fonctionné comme « consulteur » à la demande de la Secrétairerie d'État. En juillet 1969, lors d'une consultation précédente,

---

1. Y. CONGAR, *Une passion, l'unité : réflexions et souvenirs 1929-1973*, Paris, 1974.
2. Voir l'éditorial « In memoriam », *Istina* 37 (1992) p. 57-64. Assez curieusement, la version donnée par cet article nécrologique de « l'incident de Rhodes » ne correspond pas à celle donnée par le père Dumont lui-même, ni dans sa correspondance avec le Dr Visser 't Hooft (septembre-octobre 1959), ni dans sa « mise au point » parue dans les *Informations catholiques internationales*, n° 106, 15 octobre 1959, p. 11-15.

Christophe Dumont avait rédigé un rapport concernant certains passages de l'aide-mémoire de la réunion de Gwatt.

Cependant, le même père Dumont avait aussi été invité par le Secrétariat pour l'Unité à participer à la Commission des experts qui préparait la *Plenaria* de novembre 1970 au sujet du *membership*. À cette occasion, il n'est pas exclu que l'une ou l'autre de ses prises de position critiques ait pu alors avoir un certain impact sur la discussion entre experts.

Il n'est pas exclu non plus que le fameux « incident de Rhodes », qui troubla l'atmosphère du mouvement œcuménique au cours de l'été 1959, ait contribué à inspirer au père Dumont une attitude moins favorable au Conseil œcuménique des Églises, soupçon dont il a toujours rejeté le bien-fondé.

Ce qui est appelé communément « l'incident de Rhodes », survenu en 1959, a fait couler beaucoup d'encre et, chez certains, a mis en cause la loyauté œcuménique du père Christophe Dumont. Nous nous limitons ici à sa propre version des faits [1]. À Rhodes, il s'agissait d'une rencontre improvisée entre orthodoxes et catholiques organisée à la demande du père Dumont, *en marge du Comité central du Conseil œcuménique*, qui pour la première fois se réunissait en terre orthodoxe en août 1959 (donc quelques mois à peine après la première annonce par Jean XXIII de la convocation d'un concile). Présent comme journaliste catholique, le père Dumont souhaitait y rencontrer quelques professeurs de théologie grecs en vue de les inviter à un congrès théologique en 1960. Cette première prise de contact sur place, qui à l'origine devait avoir un caractère privé et une portée limitée, changea de signification lorsqu'à la surprise du père Dumont une cinquantaine d'orthodoxes, dont plusieurs évêques et prêtres, se présentèrent au rendez-vous et par la force des choses souhaitèrent être initiés aux activités du Centre Istina, de Chevetogne, etc.

En conclusion, trois personnalités orthodoxes furent alors désignées pour reprendre contact avec Istina pour la préparation d'une rencontre entre orthodoxes et catholiques. Par

---

1. Voir *Informations catholiques internationales*, n° 106, 15 octobre 1959, p. 11-15.

une indiscrétion de la presse, une réunion qui devait être privée fut transformée en événement inédit à la surprise de Mgr Tisserant, qui était alors préfet de la Congrégation romaine des Églises orientales et qui n'avait pas été prévenu, et à la colère de plusieurs membres du Comité central du Conseil œcuménique. Ceux-ci trouvaient incorrect que des représentants de l'Église catholique, qui n'était pas membre du Conseil œcuménique, utilisent une réunion du Conseil de Genève pour entamer une négociation avec l'orthodoxie à l'insu du Comité organisateur et dans le but inavoué d'éloigner les Églises orthodoxes du Conseil œcuménique. Les protestations du père Dumont, qui fit valoir sa bonne foi, se trouvèrent malencontreusement en contradiction avec une émission de Radio Vatican qui, quelques jours plus tard, souligna le caractère officiel des contacts de Rhodes entre Églises orthodoxe et catholique, alors qu'en réalité les « journalistes » présents n'avaient à cet égard reçu ni mandat ni même autorisation des autorités romaines.

L'échange de correspondance à ce sujet, mené par la suite entre le Dr Visser 't Hooft et le père Dumont – il est vrai parfois sur un ton assez vif – révéla la grande sensibilité du Conseil œcuménique et plus particulièrement de son Comité central devant l'entrée en scène inattendue de Rome dans le mouvement œcuménique grâce aux initiatives assez sensationnelles de Jean XXIII[1]. L'incident suscita par ailleurs une susceptibilité bien compréhensible devant ce qui était apparu comme une tentative de l'Église catholique de « débaucher » l'orthodoxie à son propre profit et sur le terrain même du Conseil genevois[2] !

1. Pour cette correspondance, voir les archives du Centre Istina à Paris.

2. Plus tard Willem A. Visser 't Hooft résuma l'affaire dans ses souvenirs et en concluait : « Tout ceci provoqua de graves mécompréhensions. Il était tout à fait normal que des conversations informelles entre l'Église catholique et des théologiens orthodoxes orientaux aient lieu, mais il était regrettable que cela se passe d'une telle manière que la confiance mutuelle en était affaiblie plutôt que renforcée », W. A. VISSER 'T HOOFT, *Memoirs*, Londres/Philadelphie, 1973, p. 328 (notre traduction). Le compte rendu des faits, que Mgr Willebrands

Il faut aussi se souvenir qu'en 1959 – au moment de Rhodes – les négociations de l'Église orthodoxe russe (métropolite Nikodim) en vue d'adhérer au Conseil œcuménique étaient en cours pour aboutir à une adhésion formelle de l'Église orthodoxe la plus nombreuse de toute la chrétienté à l'assemblée de New Delhi (1961).

Tout cela démontre combien la préparation de l'adhésion de l'Église russe était délicate et explique la « susceptibilité » du Dr W. Visser 't Hooft à Rhodes au moment où un groupe extérieur de catholiques semble court-circuiter à l'improviste les négociations fragiles entre Genève et Moscou.

LA NOTE CRITIQUE DU PÈRE CHRISTOPHE DUMONT [1]

La note concernant l'adhésion éventuelle de l'Église catholique au Conseil œcuménique, que le père Dumont rédige en décembre 1970 à la demande du cardinal Secrétaire d'État, est considérée par des témoins de l'époque, et par nous, comme une pièce maîtresse du dossier sur le *membership*. Comme nous ne pouvons pas reprendre toutes les grandes lignes d'un rapport d'une trentaine de pages, nous ferons ici référence à l'essentiel des analyses de l'auteur qui se trouvent dans la seconde moitié du texte. Cette partie comporte une suite de huit points différents sous la rubrique « Questions spécifiques » (p. 15-22).

De manière générale, le père Dumont indique comme défaut du rapport du groupe de travail le caractère unilatéral du document, c'est-à-dire que le problème du *membership* est étudié *d'un point de vue trop exclusivement juridique*. Ce point reviendra fréquemment dans

publia à l'époque dans le bulletin du père Dumont, fit autorité et contribua par son objectivité à rétablir les bonnes relations entre partenaires (J. G. M. WILLEBRANDS, « La rencontre de Rhodes », *Vers l'Unité chrétienne*, t. XIII, n° 1-2, janvier-février 1960, p. 1-4).

1. J'ai été autorisé à consulter les archives du père Christophe Dumont au couvent Saint-Jacques à Paris, grâce à l'obligeance du professeur Hervé Legrand de l'Institut catholique de Paris, son légataire.

l'appréciation donnée du rapport. Le père Dumont considère que l'inconvénient majeur de ce texte est d'avoir été
produit par un *groupe mixte*, dont il résulte un compromis
entre parties prenantes et le « souci de ne rien dire de désa-
gréable pour le partenaire » (p. 4).

a. L'*ecclésiologie* de l'Église catholique. La question de
savoir si l'adhésion au Conseil œcuménique entraîne pour
l'Église catholique un renoncement à sa propre ecclésiologie reçoit une réponse uniquement juridique en renvoyant
simplement aux statuts du Conseil œcuménique. Pareille
réponse est jugée par le père Dumont comme insuffisante.
La participation de l'Église catholique au Conseil œcuménique « amènera nécessairement ses représentants au
Conseil œcuménique *à agir comme s'ils ne tenaient pas
compte* de leur propre ecclésiologie » (les mots en italique
sont soulignés par l'auteur) au risque de donner scandale à
ses propres fidèles.

b. Quant à la manière dont l'Église catholique entend
exercer l'*autorité*, une réponse d'ordre juridique ne peut
satisfaire le père Dumont. Dans le cas où l'Église catholique ne peut être d'accord avec une déclaration majoritaire
du Conseil œcuménique et où elle est libre d'exprimer son
refus, il va de soi que le retentissement d'un désaveu public
d'une Église rassemblant plus de la moitié des chrétiens de
toute la terre serait beaucoup plus considérable que si un tel
désaveu provenait d'aucune autre Église-membre. Le
Conseil œcuménique en éprouverait un réel préjudice
moral.

c. La question de la *primauté papale* est également difficile à résoudre en cas de *membership*, surtout quand l'Église
catholique parlerait en commun avec les autres Églises
membres au sein du Conseil œcuménique. Le père Dumont
craint, en effet, que les fidèles de l'Église catholique n'aient
alors l'impression que « le pape a abandonné quelque chose
de son autorité » à cause d'une certaine relativisation de la
juridiction universelle du pontife romain. Les éléments
d'une réponse fort embarrassée montrent, selon l'auteur,
« l'extrême gravité de la difficulté soulevée ». Enfin, il ne
paraît pas possible que le pape puisse accepter l'impression

que c'est du Conseil œcuménique qu'il reçoit qualité pour parler au nom de toute la chrétienté.

d. Le statut juridique du *Saint-Siège* reste, aux yeux de Christophe Dumont, un obstacle considérable à un *membership* au Conseil œcuménique. Ici non plus une réponse juridique n'est pas suffisante, car *en fait* on ne pourra négliger le retentissement d'un désaveu, donné par l'Église catholique devenue membre, à une démarche décidée à la majorité dans les affaires internationales[1]. Il s'agit de deux instances qui n'ont ni le même statut ni les mêmes procédures dans le jeu diplomatique à l'échelle mondiale.

e. Une objection significative du père Dumont concerne le manque d'attention portée, dans le Conseil œcuménique, aux questions de *doctrine* et de *structure* de l'Église. Cette difficulté évoquée par le Groupe mixte de Travail dans son rapport sur le *membership* y est malheureusement restée sans réponse. Mais la difficulté est présentée comme une difficulté *de fait* pour laquelle il doit être possible de trouver une solution. Le père Dumont, pour sa part, croit qu'il s'agit aussi d'une question *de principe*. La préférence notable accordée aux questions de *Church and Society* n'est pas sans rapport avec la structure même du Conseil œcuménique, son inspiration majoritaire protestante et l'absence d'une étude spécifique sur la *relation organique* qui théologiquement doit faire la connexion étroite entre l'objet de *Faith and Order* et ce qui relève de l'action œcuménique.

Ce que l'auteur veut désigner par « inspiration majoritaire protestante », il l'explicite en spécifiant brièvement qu'il s'agit d'une inspiration « pour laquelle les questions de contenu objectif de la foi et celles de structure hiérarchique sont éminemment secondaires » (p. 19). Déjà dix ans auparavant ce thème revient plusieurs fois dans les articles que

---

1. Dans ce domaine d'une grande sensibilité pour Genève mais aussi pour Rome, le père Dumont cite des développements récents qui pourraient faire difficulté comme l'engagement du Conseil œcuménique dans une action *contre le racisme* (1968-1969) accordant un appui financier à des organismes dont certains ont recours à la violence, notamment en Afrique australe.

publie le père Christophe Dumont. Dans une lettre adressée en septembre 1959 au Dr W. Visser 't Hooft, il remarque : « Malgré les efforts de beaucoup (dont vous êtes), le Conseil œcuménique s'est, depuis qu'il existe, cantonné trop facilement dans un œcuménisme de type protestant et même réformé. La présence d'Églises orthodoxes et d'autres éléments de tendance dite "catholique" n'a pas suffi à modifier efficacement cet état des choses » [1].

f. Une autre difficulté provient d'une prolifération des structures, qui à la longue risque d'étouffer le *caractère spirituel* du mouvement œcuménique. Le père Dumont constate que cette objection se trouve mentionnée dans la première partie du rapport du Groupe mixte de Travail sur le *membership*, mais que par la suite elle ne reçoit aucune réponse. Cependant, le consulteur n'y voit pas un problème grave car il s'agit surtout d'être attentif à une bureaucratie envahissante : un problème qui d'ailleurs n'est pas propre au Conseil œcuménique.

g. Il n'en est pas de même en ce qui concerne la *crise intérieure* qui frappe actuellement l'Église catholique : cette crise est passée sous silence dans le rapport du Groupe mixte de Travail ; il y a donc là une lacune importante du document.

Le père Dumont croit que, dans l'hypothèse d'une adhésion, le choix des personnalités ayant à représenter l'Église catholique dans les organismes et réunions du Conseil œcuménique se révélera extrêmement difficile et très risqué « dans l'état actuel de crise que traverse notre Église ». Dès lors il n'est pas difficile d'imaginer quelles répercussions pourraient avoir les graves dissentiments entre représentants de l'Église catholique, contredisant les directives données par le Saint-Siège, provoquant un scandale qui ne se limiterait pas aux membres de l'Église catholique [2].

---

1. Voir les archives du Centre Istina à Paris.

2. On peut se demander si l'auteur ici ne songe pas en premier lieu au mouvement contestataire qui a été provoqué dans l'Église catholique par la publication de l'encyclique *Humanae vitae* (juillet 1968), dont le texte ne tenait pas compte des conclusions de la commission pontificale concernant le *Birth Control*. S'y ajouta en Europe occidentale et en

En réservant au Saint-Siège le choix de ses représentants, on risque des critiques non pas au Conseil œcuménique mais au sein même de l'Église catholique « en raison du prix accordé à la décentralisation et à l'exercice collégial du pouvoir ».

En conclusion, le consulteur constate qu'en aucune manière l'adhésion au Conseil œcuménique n'aiderait l'Église de Rome à surmonter la crise actuelle : « au contraire le *membership* risquerait fort de l'aggraver en lui fournissant un terrain favorable d'incubation et de diffusion. »

h. Une dernière considération du père Christophe Dumont concerne l'attitude de l'Église orthodoxe, dont la participation comme membre au Conseil œcuménique est souvent citée comme un précédent propre à encourager l'Église catholique à adhérer à son tour. L'auteur tient à mettre en doute le « mythe » d'une *participation orthodoxe* au Conseil œcuménique qui serait satisfaisante. Cette participation, aux yeux du père Dumont, est de fait inefficace, elle est délibérément limitée à un simple « témoignage » de la part de l'Église orthodoxe russe et sans influence sur l'ensemble du clergé et des fidèles orthodoxes, qui n'en sont même pas informés.

L'auteur met ainsi en opposition les *déclarations publiques* de certains dirigeants orthodoxes en faveur d'une adhésion de Rome au Conseil de Genève et les *confidences personnelles* de ces dirigeants qui sont critiques à l'égard du Conseil œcuménique et parfois même formulent le vœu d'une alliance avec l'Église catholique en dehors du Conseil œcuménique !

Le père Dumont considère que la participation orthodoxe « est loin d'être toujours entièrement désintéressée » (aide financière et jeu politique en faveur du pouvoir en Union soviétique).

Ces considérations sont rédigées en 1970 et donc un bon quart de siècle avant l'éloignement des Églises orthodoxes à l'égard du Conseil œcuménique et avant la crise profonde

---

Amérique du Nord la « crise du clergé », dont le point culminant se situe précisément à la veille du synode des évêques d'octobre 1971.

qui en découlera, notamment à l'assemblée de Harare (1998). Relues aujourd'hui, il apparaît combien Christophe Dumont avait vu juste *in tempore non suspecto*, mais en outre combien son intuition à l'époque jette déjà alors un regard réaliste sur les causes réelles du malaise dans l'Église russe, malaise qui a été révélé au grand jour après la chute du régime communiste.

C'est après la chute du régime soviétique que les moines et les fidèles en Russie ont rejeté tout œcuménisme comme hérésie et comme un reliquat de l'ère communiste.

Ensuite, l'auteur établit un lien entre la participation orthodoxe au Conseil de Genève et certaines démarches favorables au pouvoir en Union soviétique. Cela nous paraît indéniable. Nous connaissons plusieurs cas où des thèmes trop sensibles au gouvernement soviétique étaient occultés de l'ordre du jour pour ne pas embarrasser la délégation orthodoxe russe. L'assemblée générale du Conseil œcuménique de Vancouver (1983) pourrait illustrer ces propos [1].

En conclusion de cet avis très élaboré, le père Christophe Dumont voit non dans l'adhésion mais dans la poursuite et le développement des rapports actuels avec le Conseil œcuménique la solution la plus réaliste au problème posé. Aux yeux de l'auteur, 1) le rapport ne tient pas compte d'obstacles majeurs à ce *membership*, aussi bien *de fait* que *de principe* ; 2) le rapport ne donne même pas de réponse satisfaisante à ceux de ces obstacles qu'il examine lui-même.

L'auteur ajoute : « Il ne semble pas qu'une étude approfondie puisse conduire à une conclusion sensiblement différente [2]. »

---

1. Au Comité central de Canterbury (été 1969) et au *Joint Working Group* de Naples (mai 1970), les délégués russes refusent une restructuration fondamentale du Conseil œcuménique pour des motifs d'*opportunité politique* à l'égard du régime soviétique. Nous y reviendrons plus loin.

2. À la page 22 de la « Note » de Chr. Dumont.

L'ÉVOLUTION DE PAUL VI

Il ne nous semble pas déplacé de chercher à situer brièvement l'évolution de la « conscience » œcuménique de Paul VI en personne au cours de ces années. S'il est vrai que son opinion personnelle a évolué à l'égard de certains thèmes de Vatican II – notamment concernant la « collégialité épiscopale » – on pourrait chercher à suivre à la trace son évolution quant à la thématique de l'œcuménisme.

Au cours d'un entretien personnel que nous avons eu avec le père St. Schmidt, secrétaire personnel et biographe du cardinal Bea[1], notre attention fut attirée sur cette évolution[2]. Selon le père Schmidt, témoin privilégié en l'occurrence, les rencontres œcuméniques de 1967 – entre autres réception de Paul VI au Phanar (Istambul) en juillet et visite du patriarche Athénagoras à Rome en octobre – et certaines déclarations du Saint-Père en cette même année en font une période très dynamique.

Le point culminant de cet « enthousiasme » œcuménique du pape se retrouve particulièrement dans son allocution adressée le 28 avril 1967 au Secrétariat pour l'Unité. Le pape n'y souligne pas seulement le plein engagement de Rome dans la cause de l'œcuménisme mais aussi les relations amicales qui préparent « des ententes qui peuvent apparaître encore délicates et difficiles, mais qu'on entrevoit déjà comme pleines de vérité et de joie dans l'esprit du Seigneur[3] ».

On trouvera un commentaire remarquable de ce discours d'avril 1967 sous la plume du cardinal A. Bea dans *La*

---

1. Voir St. SCHMIDT, *Augustin Bea : der Kardinal der Einheit*, Graz, 1989, 1050 p.

2. Entretien au Secrétariat pour l'Unité du 18 septembre 1984 ; voir notre *Diarium*, cahier n° 187.

3. Voir le texte complet dans *La Documentation catholique* 64 (1967) p. 865-871, où Paul VI lui-même évoque aussi « le pape comme l'obstacle le plus grave sur la route de l'œcuménisme », un thème qu'il reprendra plus longuement dans le fameux discours qu'il prononcera à Genève en juin 1969, lorsqu'il sera reçu officiellement au siège du Conseil œcuménique.

Civiltà Cattolica du 17 juin 1967, un fait qui souligne encore la signification de l'engagement explicite de Paul VI [1].

À partir de l'automne 1967, on peut pressentir un certain ralentissement dans la dynamique œcuménique du pape. Selon le témoignage de Stjepan Schmidt, ce mouvement de retrait devient sensible lorsque la réception de l'œcuménisme touche des aspects pastoraux de l'adaptation post-conciliaire des attitudes des prêtres et des fidèles. Le discours du pontife au Conseil œcuménique à Genève en 1969 est déjà en retrait, mais il révèle aussi une ambivalence typiquement montinienne à laquelle nous avons déjà fait allusion.

Car à côté de la prudence des discours le pape reste capable de surprendre les partenaires du dialogue œcuménique et aussi l'opinion publique par des gestes très courageux, parfois audacieux. Le souci pastoral de Paul VI provient du souci d'éviter la confusion chez les simples fidèles, surtout lorsque ceux-ci s'engagent dans des dialogues interconfessionnels sans préparation doctrinale suffisante.

C'est dans ce contexte particulier que la note à tendance critique du père Christophe Dumont aboutit sur la table de travail de Paul VI en décembre 1970. Les prises de position de cette note surgissent à un moment crucial, celui des décisions à prendre. Elles ont eu un poids très lourd car l'auteur s'exprime avec l'autorité d'un expert en œcuménisme. Le document est destiné au secrétaire d'État pour être soumis au pape en personne.

Nous avons déjà fait allusion à des témoignages de l'époque, qui confirmaient le fait que cette consultation du père Dumont était venue à l'heure décisive. Nous n'en citerons que deux.

---

1. A. Bea, « Un luminoso consuntivo ecumenico », *La Civiltà Cattolica* 118 (17 juin 1967) 525-533. On peut supposer que le père Bea fut le principal inspirateur du discours de Paul VI du 28 avril. Selon les usages bien connus à Rome, il arrive fréquemment que le *ghost-writer* d'un texte officiel en devienne ensuite le commentateur officieux.

Au cours d'une conversation que nous avons eue avec le Dr E. Blake, à l'époque, secrétaire général du Conseil de Genève le 18 janvier 1972, celui-ci se disait persuadé que le coup de frein donné à la procédure de l'adhésion en automne 1970 n'était pas venu du Secrétariat pour l'Unité, mais du pape lui-même. Il nous dit aussi que la forme actuelle de la coopération Rome-Genève sans *membership* n'était pas heureuse, car elle était lente, compliquée et onéreuse : « Genève désire que Rome accepte d'abord les conditions du *membership* et ensuite coopère. » En novembre 1973, Mgr Moeller, alors secrétaire du Secrétariat pour l'Unité, nous a affirmé que le commentaire critique du père Dumont avait eu une influence déterminante sur l'opinion de Paul VI[1].

Nous remarquons que les difficultés évoquées par Christophe Dumont à l'égard de la rédaction du rapport sur l'adhésion sont précisément celles-là même que les milieux de la Curie romaine craignaient le plus et auxquelles le pape est particulièrement sensible : le point de vue exclusivement juridique du rapport a, selon le consulteur, comme conséquence de négliger les *aspects doctrinaux* et *de principe* de chacune des questions traitées. Ceci se trouve renforcé par un intérêt prépondérant du Conseil œcuménique pour les questions de *Church and Society*. Autre lacune du rapport du Groupe mixte de Travail : la crise que traverse l'Église catholique elle-même y est passée sous silence, alors que l'adhésion au Conseil œcuménique ne pourra qu'aggraver et diffuser ce phénomène inquiétant.

Ainsi que nous l'avons déjà souligné, l'ambivalence des Églises orthodoxes vis-à-vis du Conseil œcuménique était à l'époque réelle. À cet égard, l'auteur attribue cette participation à des mobiles inavouables. Ce *membership* ne mérite donc pas d'être cité en exemple aux catholiques ! Ce paragraphe se conclut de façon surprenante par un appel en faveur de la formation d'un front uni d'une ecclésiologie catholico-orthodoxe pour libérer totalement le mouvement œcuménique de la dépendance du Conseil de Genève.

---

1. Le compte rendu de cette conversation avec le Dr E. Blake se trouve dans notre *Diarium*, cahier n° 108, avec Mgr Charles Moeller dans notre *Diarium*, cahier n° 112.

Certains lecteurs seront peut-être étonnés de lire notre allusion à un « front ecclésiologique » hostile à Genève. Il convient de rappeler ici que l'annonce de la convocation d'un concile par Jean XXIII afin de promouvoir un rapprochement entre les Églises chrétiennes séparées, provoqua au début un grand « remue-ménage » dans différents milieux.

Il faut se souvenir notamment de la prise de position de Lord Fisher, à l'époque archevêque de Canterbury, à la tête de l'Église d'Angleterre. En souhaitant un rapprochement avec Rome dans le cadre d'un nouvel organisme interecclésial qui remplacerait la fonction du Conseil de Genève, devenu superflu, il ne manqua pas de faire sensation[1]. D'autres dirigeants protestants prirent alors le chemin de Rome, dont notamment le Dr Dibelius (luthérien), le Dr Jackson (baptiste) et le Dr A. C. Craig (réformé).

Cependant, cette esquisse rapide du *dégel œcuménique* qui caractérise les premières années du pontificat de Jean XXIII ne serait pas complète sans rappeler aussi deux voix autorisées de l'œcuménisme catholique (et du Secrétariat romain pour l'Unité) qui ont témoigné leur fidélité à la collaboration avec Genève, celle de Mgr Willebrands et celle de dom Lanne. Nous y reviendrons de manière plus élaborée au début de notre chapitre IV[2].

Enfin il est important de noter que la consultation donnée par Christophe Dumont en décembre 1970 a une conclusion radicale : elle déconseille de poursuivre l'étude du membership, qui lui apparaît comme inutile[3].

---

1. Voir, entre autres, l'article que l'archevêque anglican Fisher, entretemps devenu émérite, publiera dans *Church Times* (numéro du centenaire), « Forecasting the Future of the Ecumenical Movement ». Les dirigeants du Conseil œcuménique réagirent avec un dépit compréhensible. L'archevêque anglican Fisher fut un des premiers des chefs d'Église non romaine à rendre visite à Jean XXIII (dès novembre 1961). Il reçut un accueil chaleureux du nouveau pape. Notons pour la petite histoire que le Vatican souhaitant valoriser la visite du Dr Fisher à Rome chargea son service postal d'éditer un timbre à l'effigie du dirigeant anglican : une initiative surprenante qui reflète bien l'enthousiasme de l'ère roncallienne…

2. E. LANNE, « Avenir de l'œcuménisme : Conseil œcuménique des Églises et Rome », *Irénikon* 44 (1971) p. 329.

3. Dans une « Analyse critique rétrospective et prospective de

LE « MEMBERSHIP » S'ÉLOIGNE
(ADDIS-ABEBA, JANVIER 1971)

Il est clair que le courant en faveur de l'adhésion de l'Église catholique au Conseil de Genève faiblit à partir de l'automne 1970 : nous l'avons constaté à la *Plenaria* du Secrétariat pour l'Unité et nous avons souligné l'influence que la « Note » du père Christophe Dumont va exercer dans le milieu curial. Cela ne signifie pas que nous sommes en mesure de dater le « tournant » de manière précise. Il est certain qu'en 1971 le cardinal Willebrands, malgré les contre-courants, continue à œuvrer à « l'étude » du *membership*. Et il est probable qu'en haut lieu on a déjà alors tiré des conclusions, qui ne sont pas nécessairement communiquées au pouvoir exécutif. Selon le témoin-observateur de premier rang qu'est le père Th. Stransky, c'est au début de 1972 que tombe la décision du Saint-Siège de renoncer officiellement à introduire une demande de *membership* auprès du Conseil œcuménique[1].

Mais, avant d'en arriver là, il y aura encore plusieurs étapes, dont, en premier lieu, le Comité central du Conseil de Genève qui se tient à Addis-Abeba du 10 au 21 janvier 1971[2].

---

l'œcuménisme postconciliaire » (parue dans *Esprit et Vie*, 21 avril 1983, p. 227), Chr. Dumont écrivait : « Le Conseil œcuménique des Églises a délibérément décidé de se donner une structure *dénominationnelle* : les Églises ne sont admises comme membres qu'en considération de la dénomination, du nom, qu'elles se sont donné et non de la confession de foi dont elles se réclament, pourvu qu'elles déclarent accepter la "base" ci-dessus ; le règlement veut, en outre, que les délégués ayant droit de vote dans ses commissions, comités restreints et assemblées générales (tous les 7 ans), disposent d'une voix par personne, selon leur conscience, sans être tenus à se conformer à la confession de foi de leur propre Église. »

1. Cf. Th. STRANSKY, « A Basis beyond the Basis », *The Ecumenical Review* 37 (avril 1985) p. 219.

2. L'étape suivante sera la réunion plénière du Groupe mixte de Travail à Stuttgart du 7 au 12 juin 1971, dont il sera question plus loin.

Le Comité central, réuni en janvier 1971, aurait dû – selon le calendrier établi de commun accord en mai 1970 – recevoir le rapport du groupe de travail, qui traitait de l'adhésion éventuelle de l'Église catholique au Conseil œcuménique, connu sous le titre « Patterns of Relationships » (Modèles de relations).

Mais, ainsi que l'on s'en souvient, le cardinal Willebrands, en août 1970, avait obtenu que la divulgation du rapport sur le *membership* soit retardée jusqu'à la prochaine réunion du Groupe mixte de Travail à l'été 1971. Ce rapport, finalement publié en juillet 1972, sera analysé au chapitre III (voir p. 85).

Le troisième rapport général du Groupe mixte de Travail constituait la pièce maîtresse de l'ordre du jour du Comité central à Addis-Abeba (janvier 1971). Il avait été prévu qu'il comprendrait quatre annexes, dont seule la dernière concernait la question de l'adhésion au Conseil de Genève.

I. *Rapport relatif aux activités communes du Groupe mixte de Travail entre l'Église catholique et le Conseil œcuménique des Églises* (donnant une description élaborée des nombreuses initiatives communes, au point de vue de la doctrine et de la liturgie, de la mission, de l'action des laïcs et de l'engagement social).

II. *Document d'étude relatif au témoignage commun et au prosélytisme* (document préparé par une Commission théologique mixte et agréé à Naples à la réunion du Groupe mixte de Travail en mai 1970).

III. *Document d'étude relatif à la catholicité et à l'apostolicité* (également agréé en mai 1970 comme instrument au service d'une recherche commune), auquel sont attachées sept petites annexes particulières.

IV. *Modèles de relations entre l'Église catholique et le Conseil œcuménique des Églises* (rapport traitant de différents aspects de l'éventuelle adhésion de l'Église catholique au Conseil œcuménique).

Mais, au Comité central de janvier 1971, cette fameuse Annexe IV a tout simplement disparu, sans que cette suppression ne reçoive une justification ni même une simple mention. Le déroulement de la concertation et la portée des décisions à prendre s'en trouvaient profondément modifiés. L'ère des déceptions s'ouvrait sans avoir été annoncée [1].

Aussi bien le pasteur Lukas Vischer (rapporteur du Groupe mixte de Travail) que le père Jérôme Hamer (secrétaire du Secrétariat) prennent le discours que Paul VI prononça en juin 1969 au Conseil œcuménique comme point de départ de leur exposé au Comité central [2].

En ce qui concerne le *membership*, le Dr L. Vischer rappelle que Paul VI avait déclaré que la question de l'entrée de son Église au Conseil n'était pas encore mûre [3]. Le rapporteur reconnaît qu'il n'est pas encore possible de dire de manière certaine quand la discussion sera terminée ni quand un rapport pourra être soumis : « L'étude de cette question est née des travaux du Groupe mixte de Travail, mais plus la discussion progresse, plus on touche au domaine de la décision et plus on se rend compte que c'est à l'Église catholique elle-même qu'il appartient de traiter la question. »

Acquiescant ainsi au désir de l'assemblée plénière du Secrétariat à Rome – déjà exprimé par le groupe

1. Le troisième rapport officiel du Groupe mixte de Travail et ses annexes I, II et III sont publiés dans *The Ecumenical Review* dès le numéro de janvier 1971. On peut se demander pour quel motif cette publication suit un véritable dédale typographique : le troisième rapport lui-même et les annexes I et III se suivent en petits caractères (p. 44-69), tandis que l'annexe II ouvre le fascicule en grands caractères (p. 9-20). En langue française le rapport et les annexes I et II ont paru en supplément du *Service d'information* du Secrétariat pour l'Unité des chrétiens, n° 14, avril 1971, p. 14 s., alors que l'annexe III a été publiée dans *Irénikon* 1970, p. 163-200. Voir aussi *La Documentation catholique* 68 (1971) p. 159-164 (uniquement l'annexe I !).

2. *Comité central du Conseil œcuménique : procès-verbal et rapport de la 24ᵉ session*, Conseil œcuménique, Genève, 1971, p. 36-43 pour L. Vischer, p. 45-49 pour J. Hamer et p. 51-54 pour le texte de décision du Comité central. Une version assez différente a paru dans Secrétariat pour l'Unité des chrétiens, *Service d'information*, n° 14, avril 1971, p. 5-7.

3. Lorsqu'on lit les commentaires de l'époque, il est évident qu'il y a deux lectures très différentes du discours du pape à Genève, selon que l'on met l'accent sur un membre de phrase (plutôt négatif) ou bien sur un autre membre de phrase (plutôt positif). Lukas Vischer a perçu surtout cette dernière lecture : les événements ne lui donneront pas tort.

préparatoire de consulteurs et ensuite répercuté dans la
« Note » secrète du père Christophe Dumont –, le rapporteur
propose d'attribuer de manière définitive l'étude à la seule
Église catholique romaine [1].

Au Comité central d'Addis-Abeba, il échoit au père
Jérôme Hamer d'annoncer que l'entrée de l'Église catholique au Conseil œcuménique est retardée et d'expliciter
davantage quelques problèmes auxquels on se trouve
affronté dans la poursuite de l'étude sur une éventuelle
adhésion :

a. (question des priorités) parmi les activités du Conseil
œcuménique, quelle place occupe la recherche de l'unité
visible ?

b. (question de l'efficacité) quelle est l'influence du
Conseil œcuménique sur l'orientation et les programmes
des Églises membres ?

c. (question d'opportunité) quel est l'impact de l'appartenance au Conseil œcuménique sur la crise intérieure des
Églises chrétiennes ?

d. (question de « réalisme pastoral ») dans quelle mesure
l'appartenance au Conseil œcuménique est-elle une préoccupation concrète pour les catholiques au niveau local et un
apport positif à la vie pastorale ?

Dans le choix de la forme de sa collaboration avec le
Conseil œcuménique, l'Église catholique reconnaît un
critère décisif : comment assurer le meilleur service à la
cause de l'unité de tous les chrétiens ?

La signification « autorisée » de l'intervention du père
Hamer au Comité central d'Addis-Abeba n'apparaît pas
seulement dans son contenu, mais aussi dans le caractère
officiel qu'il lui est donné à Rome. Cela ressortait de
la publication *in extenso* du texte du père Hamer dans

---

1. La remarque de Lukas Vischer au sujet de la collaboration œcuménique en général nous paraît aussi applicable au freinage du
membership : « Le bouleversement que traversent aujourd'hui les
Églises dans leur confrontation au monde moderne ne doit en aucune
manière les inciter à se replier sur elles-mêmes et à se protéger derrière
leurs remparts » (*Comité central du Conseil œcuménique : procès-
verbal et rapport de la 24ᵉ session*, Conseil œcuménique, Genève, 1971,
p. 42).

L'Osservatore Romano le 11 janvier 1971, dès l'ouverture du Comité central (repris aussi dans l'édition de langue française du même journal le 22 janvier 1971). L'allocution de Paul VI, prononcée à l'Angelus du 17 janvier, allait dans le même sens. Le pape déclare : « De l'opposition polémique entre les différentes dénominations chrétiennes, nous sommes passés au respect réciproque, au dialogue, à une certaine collaboration pratique. Mais si l'unité veut être sincère, elle ne peut encore être réalisée. La bonne volonté des hommes ne suffit pas à accomplir ce prodige [...] [1]. »

En conclusion, le Comité des directives de ce Comité central « reçoit avec reconnaissance l'assurance [...] selon laquelle la question de l'adhésion de l'Église catholique et tous les problèmes qui y sont rattachés sont examinés avec le plus grand sérieux, bien que l'on ne puisse manifestement pas s'attendre à une décision sur ce point dans un avenir immédiat [2] ».

Cependant, ce serait une grave erreur que de croire que la question de l'adhésion possible de l'Église catholique occupait une place importante à l'ordre du jour très chargé du Comité central de janvier 1971. L'attention principale de la réunion – ainsi que les échos dans la presse le démontrent – allait à des problèmes très controversés, de grande actualité : le programme financier de lutte contre le racisme, le débat sur l'attitude des chrétiens devant les grandes religions et devant les idéologies sécularisantes, la vive tension entre Constantinople et Moscou au sujet du statut de la nouvelle Église orthodoxe d'Amérique, rattachée à Moscou [3].

Cette diversité de l'ordre du jour de janvier 1971 est clairement illustrée chez les chroniqueurs de l'époque [4].

---

1. *La Documentation catholique* 68 (1971) p. 109.
2. *Comité central du Conseil œcuménique : procès-verbal et rapport de la 24ᵉ session*, Conseil œcuménique, Genève, 1971, p. 52.
3. À cette liste il faudrait rattacher aussi des questions d'ordre interne comme l'élaboration de nouvelles structures et la préparation de la désignation d'un candidat non européen appelé à succéder au pasteur Blake à la tête du Conseil œcuménique en 1972.
4. Voir notamment E. LANNE, *Irénikon* 44 (1971) p. 40-49 ; G. CAPRILE, *Civiltà Cattolica* (20 février 1971) p. 368-371 ; article anonyme, dans *Herder Korrespondenz* 25 (mars 1971) p. 123-126.

Entre la réunion plénière du Groupe mixte de Travail à Naples en mai 1970 et celle tenue près de Stuttgart en juin 1971, beaucoup d'eau avait coulé sous les ponts. Comme il fallait s'y attendre, à Stuttgart le ton était en mineur. Cependant, la réunion ne manque pas d'intérêt : pour le cardinal Jan Willebrands, ce fut là l'occasion de faire une mise au point instructive[1].

Faisant rapport, le président du Secrétariat romain communiqua qu'à la suite de la *Plenaria* et des observations provenant d'une consultation d'experts, un second texte avait été rédigé[2].

Aussi bien le rapport du Groupe mixte de Travail consacré au *membership* que le « Commentaire » avaient été soumis au pape Paul VI. Et le cardinal Willebrands ajoutait : « Une certaine réserve était perceptible quant à la question du *membership*. Elle était en partie justifiée par le sentiment de certains membres qui estimaient qu'avant d'envisager la possibilité d'une entrée dans le Conseil mondial il était nécessaire de traiter de la "crise de la foi" interne à l'Église catholique qui connaissait, comme beaucoup d'autres Églises, de sérieuses mises en question relatives à l'autorité, aux articles de foi, etc.[3] » Le cardinal disait être lui-même enclin à croire que les deux choses ne pouvaient être séparées et qu'une étude sérieuse de la question du *membership* dans le Conseil œcuménique des Églises était nécessaire. « Un autre facteur de ralentissement de l'impulsion vers un possible *membership* résidait dans le fait que certaines personnes importantes dans le mouvement œcuménique adoptaient maintenant une attitude négative à l'égard des développements actuels au sein du Conseil

---

1. *Report of the Joint Working Group*, 7-12 juin, 1971, Stuttgart Germany (archives du Conseil à la bibliothèque du Conseil œcuménique à Genève), p. 4.

2. Il nous paraît qu'il s'agit ici du « Commentaire » rédigé par Willebrands à partir de la consultation de fin octobre 1970. Il semble bien que le père Dumont n'ait pas eu connaissance de ce « Commentaire » lorsqu'il a produit sa « Note » secrète en décembre 1970 (voir ANNEXE IV en fin de volume).

3. *Ibid.*, p. 4 (notre traduction).

œcuménique, et que cela avait une influence sur les discussions [1]. »

Pour la procédure à venir, Willebrands annonçait une suite de démarches : d'abord une concertation de son Secrétariat avec le Conseil œcuménique afin d'apporter des réponses satisfaisantes aux questions posées, ensuite une consultation à Rome avec des responsables de l'Église catholique au sujet de ces réponses, destinées à être insérées dans le « second document », et enfin, après l'approbation du pape, la circulation du dossier parmi les conférences épiscopales du côté catholique.

Cet exposé ne pouvait manquer de susciter quelques interrogations des dirigeants du Conseil œcuménique, dont l'étonnement devait percer sous la courtoisie du ton.

Le Dr Blake ne pouvait taire les craintes des milieux de Genève, qu'une collaboration toujours croissante avec une Église non-membre (Église catholique romaine) ne finisse par saper la véritable signification de l'entière appartenance au Conseil. Lukas Vischer, pour sa part, désirait savoir ce que devenait le « statut » du rapport *membership* du Groupe mixte de Travail, maintenant qu'un second document était en préparation ; autre question : ce document était-il uniquement destiné aux conférences épiscopales (de l'Église catholique) ou serait-il aussi adressé aux Églises membres (du Conseil œcuménique) [2].

Enfin, dans l'aide-mémoire de cette session du Groupe mixte de Travail à Stuttgart de juin 1971, il est reconnu formellement : 1) que la question de l'adhésion au Conseil œcuménique ne relevant plus que de la compétence de l'Église catholique, cette matière ne requiert plus aucun

---

1. Sans en avoir la certitude, on peut supposer que cette dernière phrase fait allusion à la « Note » critique du père Chr. Dumont, adressée au Secrétaire d'État, à moins qu'il ne s'agisse ici de l'attitude négative adoptée par plusieurs évêques de la *Plenaria* du Secrétariat en novembre 1970 – dont Mgr E. J. De Smedt de Bruges – ou encore il pourrait s'agir des deux à la fois !

2. Si nous comprenons bien la résolution de la réunion plénière du Secrétariat pour l'Unité, en novembre 1970, il était convenu qu'aussi bien les épiscopats de l'Église catholique que les instances du Conseil œcuménique seraient mis au courant.

travail en commun ; 2) que le Conseil œcuménique adressera le rapport de manière appropriée aux Églises membres et aux conseils chrétiens affiliés [1].

Du point de vue de la procédure, il me semble que le résultat principal de Stuttgart fut de reconnaître explicitement que dorénavant le Groupe mixte de Travail se trouvait dessaisi du dossier membership *et qu'il appartenait à la seule Église catholique d'étudier et de trancher sa demande d'adhésion.*

Le calendrier très optimiste que le père Hamer avait communiqué au Groupe mixte de Travail de Naples avait donné l'impression d'une *marche forcée*. Dans le milieu catholique, même chez des œcuménistes, on avait eu le sentiment que certains « promoteurs » du *membership* à Genève cherchaient à forcer la main à Rome, en pressant le rythme.

Quoi qu'il en soit du bien-fondé de ce sentiment, l'aide-mémoire de la session du Groupe mixte de Travail de juin 1971 avait en tout cas l'utilité d'apaiser toute inquiétude à cet égard chez les partenaires catholiques.

Cependant, ce même mois de juin 1971 a connu aussi un développement significatif du *follow up* de l'assemblée plénière du Secrétariat pour l'Unité de novembre 1970.

Dans la logique de la ligne dont le cardinal Willebrands avait fait part à Stuttgart, celui-ci avait, à la fin de mai 1971, adressé au Dr Blake la liste complète des questions qui provenaient de différents milieux catholiques et avaient été adressées pour réponse au Secrétariat pour l'Unité. Il n'y avait pas moins de trente-quatre interrogations, alignées

---

1. Le second point est libellé comme suit : « 2. Le Secrétariat pour l'Unité prévoit de communiquer le rapport aux conférences épiscopales en l'accompagnant de quelques explications. Il est entendu que, dès ce moment, le Conseil œcuménique des Églises communiquera le rapport de manière appropriée aux Églises membres, aux membres du Comité central et aux conseils chrétiens affiliés au Conseil œcuménique. Une lettre explicative pourra être ajoutée concernant la nature du document et la procédure envisagée pour la poursuite de l'étude d'un possible *membership*. » (Notre traduction.)

sous cinq rubriques (celles-là mêmes que le père Hamer avait énumérées au Comité central d'Addis-Abeba)[1].

Dans une lettre que le Dr Lukas Vischer a bien voulu nous adresser en date du 13 décembre 1988, il écrivait : « Le cardinal Willebrands a adressé au Conseil œcuménique un document qui soulevait une longue série de questions. La réunion de Naples lui avait montré qu'il devait prendre en main le dossier et le défendre auprès des autorités du Vatican. Pour être en mesure de le faire, il lui fallait des indications supplémentaires. » Le Dr Vischer, qui fut à l'époque le grand animateur du Groupe mixte de Travail, nous dit qu'il a décelé alors « le changement d'atmosphère ».

Comme prévu et annoncé, une concertation des deux « états-majors » fut fixée à cet égard à la fin de juin à Cartigny (non loin de Genève).

En relisant aujourd'hui ces trente-quatre questions, on a davantage l'impression de se trouver devant un interrogatoire que devant un questionnaire ! Les dirigeants du Groupe mixte de Travail, assistés de quelques membres du staff du Conseil œcuménique, se partagèrent les réponses à donner à la concertation de Cartigny[2].

Il faut indiquer ici les nuances dans l'attitude de Jan Willebrands, qui, en août 1970 et en juin 1971, chaque fois, s'efforce de « sauver les meubles ».

Au cours de l'été 1970, le président du Secrétariat pour l'Unité des chrétiens demande un délai des échéances prévues avec une telle insistance qu'il finit par l'obtenir. Il s'était rendu compte que le calendrier du père Hamer, établi à Naples, allait être irréalisable pour *les évêques* de son Secrétariat romain. À la réunion du *Officers Meeting* à Rome, le 1er août 1970, J. Willebrands avait invoqué le caractère inachevé du rapport concernant le *membership*, pour exiger de nouveaux délais. Il déclara notamment : « Je pourrais l'envoyer en décembre aux conférences épiscopales, mais alors j'enverrais un rapport dont je ne connais

---

1. Voir ANNEXE V, en fin d'ouvrage.
2. D'après un document d'archives en notre possession, il s'agissait de E. C. Blake, V. Borovoy, R. Davis, C. I. Itty, L. Niilus, Ph. Potter, L. Vischer.

pas exactement la teneur. Il doit encore être revu par la petite commission afin d'obtenir son accord à propos de quelques modifications, puis il sera envoyé à tous les membres du Groupe mixte de Travail, qui doit disposer d'au moins un mois pour l'étudier et communiquer ses remarques ; celles-ci retourneront encore en petite commission. Le temps est trop court » (notre traduction de l'anglais). Lorsqu'on insista pour la communication du document en janvier 1971, le président du Secrétariat expliqua : « Vous pouvez aisément voir l'impact de ce problème au sein du Conseil œcuménique, mais je ne peux en dire autant pour l'Église catholique. La première occasion permettant un contact direct avec les membres de l'Église sera le synode. Le pape lui-même n'exclurait pas l'option A (appartenance complète). L'option C (collaboration accrue) devrait, quant à elle, être davantage élaborée, car c'est le niveau où nous en sommes actuellement. Avant Addis-Abeba, il n'est pas possible de l'envisager de manière plus approfondie. Le pape peut avancer vers A à travers C, mais il est possible que l'ensemble des évêques soient plus favorables à C en fonction du temps disponible... Afin d'être à même de fournir une opinion, ils doivent disposer du rapport complet (avec l'option C plus élaborée), non seulement à titre d'information mais aussi en vertu du principe de la collégialité. Je n'ai pas encore reçu des membres de l'Église assez d'information pour dire que nous travaillons en vue de l'option A. Je ne peux parler de cela que comme d'un but purement personnel. Cela sera communiqué au prochain synode à titre d'information... La *Plenaria* du Secrétariat pour l'Unité n'est pas, quant à elle, représentative de l'ensemble des membres de l'Église [1] » (notre traduction de l'anglais).

Bientôt, en effet, le débat en *Plenaria* allait révéler les critiques et les appréhensions des évêques, dont nous avons déjà fait mention précédemment. Mais les trente-quatre points du questionnaire-fleuve soumis au staff du Conseil œcuménique à Cartigny en juin 1971 sont d'une autre

---

1. Voir *Officers Meeting Rome 1st August 1970*, p. 2-3. Archives du Conseil à la bibliothèque du Conseil œcuménique à Genève.

nature. Certains de ces points sont encore d'origine « épiscopale » (de l'automne 1970), mais un grand nombre, de
date plus récente, porte la marque de préoccupations
« romaines » – peut-être comme retombées de l'intervention de Christophe Dumont.

Dans la lettre d'accompagnement au Dr Blake (fin mai
1971), le cardinal Willebrands écrit lui-même que la réunion
de Cartigny avait pour but « une discussion des questions
qui ont été soulevées de divers côtés dans l'Église catholique à propos de la candidature éventuelle de notre Église
dans le Conseil œcuménique [1] » (notre traduction de
l'anglais).

*Tout ceci semble bien indiquer qu'en l'espace d'un an le
débat interne dans le milieu catholique s'est élargi, est sorti
des limites du Secrétariat pour l'Unité et a mis en mouvement diverses forces dans la Curie romaine.*

Mais à la lecture du compte rendu du Comité exécutif de
février 1972, on s'aperçoit que le Dr Lukas Vischer croit
qu'il s'agit encore des questions d'origine « épiscopale » de
l'automne 1970.

Selon le calendrier établi après les discussions de début
août 1970 d'abord et de fin septembre 1970 ensuite, et agréé
avec résignation par les représentants de Genève, le rapport
membership était destiné à rester confidentiel pendant longtemps et à faire surface au synode des évêques à Rome en
octobre 1971 [2].

*À la fin de septembre 1971, le staff de Genève croit
encore que le document mixte sera présenté et défendu au*

---

1. Voir les archives du Conseil à la bibliothèque du Conseil œcuménique à Genève. La finale de cette lettre indique le but de la concertation : « Je suis convaincu que cette concertation nous aidera à prendre
une décision à propos de l'importante question de notre *membership*
auprès du Conseil œcuménique des Églises » (notre traduction de
l'anglais).

2. « Une première présentation du problème sera faite par le cardinal
Willebrands et on sollicitera les réactions des évêques. Le document et
son commentaire seraient alors envoyés pour étude aux conférences
épiscopales et rendus publics. » Voir archives E. J. De Smedt, évêché de
Bruges, s/référence Plenaria 1970 Secr. nov. 70, n° 174.

synode à Rome[1]. *Mais les dernières illusions, qu'avait pu
susciter une prolongation de la procédure après le Comité
central de janvier 1971, allaient sombrer en cet automne
1971.*

Le fait est que le cardinal Willebrands n'a pas eu l'occasion de présenter le rapport mixte sur le *membership* ni au
synode lui-même, ni en marge du synode, comme il l'avait
espéré et annoncé aux collègues de Genève[2].

À la réunion suivante du Groupe mixte de Travail, à la
fin mai et au début juin 1972 à Rome, le rapport dira un peu
sèchement : « Le cardinal avait espéré pouvoir présenter le
sujet aux évêques au synode de 1971, mais il est ensuite
apparu que le temps nécessaire a manqué[3] » (notre traduction de l'anglais).

Cette fois la déception est générale et définitive. On en
aura les retombées pendant la préparation du Comité central
qui va se tenir à Utrecht en août 1972 et à la plénière du
Groupe mixte de Travail en juin 1972.

---

1. Voir Note confidentielle de J. J. Thomsen, 6 octobre 1971,
archives du Conseil, bibliothèque du Conseil œcuménique à Genève.

2. Nous avons noté trois interventions importantes du cardinal Willebrands au synode des évêques de 1971. Prenant la parole le 4 octobre
1971, il fait valoir les aspects doctrinaux de la crise d'identité du prêtre
et aussi le 13 octobre 1971 les aspects pratiques de la mission sacerdo-
tale. Le 22 octobre 1971, le président du Secrétariat pour l'Unité parle
de la collaboration entre chrétiens et non-chrétiens. L'adhésion possible
au Conseil œcuménique ne sera pas mentionnée. Voir *La Documentation catholique* 68 (1971) p. 1035-1036 et 69 (1972) p. 38-40.

3. *Minutes of the meetings Joint Working Group*, Rome, 29 mai-
2 juin 1972, p. 14 ; voir archives du Conseil, bibliothèque du Conseil
œcuménique à Genève.

3

FIANÇAILLES ROMPUES ET... PROLONGÉES

(d'Utrecht, août 1972 à Nairobi, fin 1975)

S'il est coutumier de fêter des noces d'or, il n'est pas d'usage de procéder à une commémoration festive de *fiançailles* qui traînent en longueur pendant un quart de siècle ! Pourtant, en 1990, le Groupe mixte de Travail a cru pouvoir célébrer le 25ᵉ anniversaire de son existence [1]...

Pour ceux qui n'avaient pas perdu la mémoire, cela devait être une célébration quelque peu paradoxale. Pendant les premières années du Groupe mixte de Travail, on n'a pas cessé de souligner le caractère *temporaire* et le but *provisoire* du Groupe mixte de Travail, et cela en vue d'établir une « collaboration plus organique ». La documentation officielle de l'époque contient d'innombrables rappels de cette caractéristique du Groupe mixte de Travail. Au début de 1972, ce but du Groupe mixte de Travail apparaît à nouveau à partir du moment où l'échec des « fiançailles »

---

1. Voir notamment T. SABEV, « The Joint Working Group : twenty-five years in Service of Unity », *The Ecumenical Review* 42 (janvier 1990) p. 17-23. L'auteur y fait la distinction entre trois périodes : 1. l'époque de l'expérimentation enthousiaste (1965-1970) ; 2. le temps de la recherche d'une meilleure organisation (1970-1980) ; 3. la troisième décennie procède à une réévaluation de la situation œcuménique et à l'exploration de nouvelles formes de collaboration.

des années précédentes devient une réalité indéniable, les instances responsables du Conseil œcuménique mettent en question la poursuite des activités du Groupe mixte de Travail tel qu'il avait fonctionné jusque-là.

Les sentiments de profonde déception des animateurs du projet de l'adhésion de l'Église catholique se donnent libre cours pour la première fois au Comité exécutif du Conseil œcuménique de février 1972 [1].

La cristallisation de ces sentiments s'exprime principalement autour de la question de savoir où et comment il sera procédé à la publication du rapport du Groupe mixte de Travail concernant le *membership*, document dont la communication avait été empêchée à plusieurs reprises sur les instances du Secrétariat pour l'Unité, dont le Dr Lukas Vischer rappela les précédents (en février 1972) [2].

Déjà en août 1970, Lukas Vischer avait clairement dénoncé le caractère ambigu qui pesait sur le document concernant le *membership* : était-ce réellement un rapport du Groupe mixte de Travail, c'est-à-dire *mixte* ou était-il d'abord et principalement destiné à l'Église catholique ? Il y avait là deux perspectives différentes...

Cette même ambiguïté allait reprendre le devant de la scène au début de 1972. Le Dr Vischer cherche d'abord à

---

1. *Draft minute of the Executive Committee concerning the Roman Catholic Church and the publication of the Joint Working Group report* (lettre de transmission datée du 24 février 1972). Voir archives du Conseil, bibliothèque du Conseil œcuménique à Genève.

2. *Ibid.*, p. 33 ; on y lit notamment : « On avait espéré publier ce rapport avec le troisième rapport officiel du Groupe mixte de Travail à Addis-Abeba, mais l'Église catholique exprima des hésitations. Le Secrétariat pour l'Unité préférait que le père Hamer s'exprime oralement devant le Comité central sur le *membership* et sur les problèmes qui lui sont liés. On espérait donc que le document puisse être publié lors du synode des évêques à Rome. Le cardinal Willebrands avait l'intention de rencontrer un certain nombre d'évêques en dehors du programme de ce synode et d'avoir avec eux une discussion sur le *membership*, mais l'atmosphère du synode était telle que le cardinal préféra ne pas maintenir cette rencontre. La question était alors de voir quelle était la meilleure procédure à suivre pour le document » (notre traduction de l'anglais). (La réunion d'Addis-Abeba date de janvier 1971 et le synode des évêques dont il est question ici a eu lieu en octobre 1971.)

situer avec lucidité les contradictions qui traversent actuellement l'Église catholique. On y reconnaît d'une part des « éléments constructifs », comme par exemple dans le débat sur l'infaillibilité du pape, et d'autre part un mouvement de retrait par rapport aux positions prometteuses de Vatican II et aussi des tendances à réaffirmer plus clairement dans les relations œcuméniques l'identité propre de l'Église catholique. Cela va de pair avec une distanciation croissante du centre à l'égard des initiatives locales, tandis que les groupes « oppositionnels » n'ont pas la force suffisante pour développer des positions coordonnées. C'est sous ce jour qu'il faut voir la situation actuelle, qui rend improbable une demande d'adhésion catholique romaine dans un proche avenir [1].

Quant à la publication du Rapport du Groupe mixte de Travail, le Conseil de Genève se trouve devant une proposition du Secrétariat romain tendant à publier ce document à Rome avec une préface du cardinal Willebrands et un article du père Th. Stransky qui ferait l'historique du débat sur la question [2].

Sans avoir eu le temps d'étudier réellement le rapport *membership* développant les différents types de relations entre l'Église catholique et le Conseil œcuménique, le Comité exécutif de février 1972 marque un accord de principe pour la publication du rapport, mais en recommandant

---

1. *Draft minute of the Executive Committee* (24 février 1972), *ibid.*, p. 33.

2. Au *Cabinet Meeting* du Groupe mixte de Travail du début de décembre 1971, le Secrétariat romain avait promis de publier le document mixte avant le Comité central prévu à Utrecht au cours de l'été 1972 ; cette publication comprendrait : 1. le rapport du Groupe mixte de Travail concernant le *membership* ; 2. un document catholique romain (du père Long) concernant les réactions au rapport mixte et résumant l'échange de vues de Cartigny (juin 1971) ; 3. en outre il y aurait un article faisant le sommaire de la genèse du rapport mixte (qui sera demandé au père Stransky) ; 4. enfin un projet de préface allait être préparé par le père Long et le père Meeking, qui sera soumis au Comité exécutif du Conseil œcuménique et qui fera valoir que la discussion n'est pas encore close. *Minutes of the Cabinet Meeting of the Joint Working Group. Dec 2-3, 1971, Geneva*. Voir archives du Conseil, bibliothèque du Conseil œcuménique à Genève, p. 1.

qu'il s'agisse d'une *publication commune* du Secrétariat romain *et* du Conseil œcuménique et qu'une préface préparée par des représentants du Groupe mixte de Travail attire l'attention du lecteur sur le fait qu'il ne s'agissait pas d'un rapport officiel mais d'un *simple document d'étude* [1].

Peu de temps après pourtant les dirigeants de Genève reviennent sur la question : le rapport étant le résultat d'un travail du Groupe mixte de Travail, il serait malheureux que les membres du Conseil œcuménique en apprennent le contenu dans une édition catholique romaine. Dans une lettre du 29 février 1972, le Dr Blake demandait formellement au cardinal Willebrands de reconsidérer le projet.

Genève, reprenant la recommandation du Comité exécutif, suggérait que l'on procède à une publication commune avec une préface portant les signatures du cardinal et du secrétaire général du Conseil œcuménique, soulignant le statut du document.

Malgré l'esprit toujours conciliant du Dr Eugene Blake, celui-ci se rebiffa devant le projet du Secrétariat romain d'introduire un résumé de la discussion de Cartigny dans la brochure prévue, alors que cette consultation avait été destinée uniquement à aider le Secrétariat romain et n'avait en rien engagé l'autorité du Conseil œcuménique, ainsi que cela avait été convenu au préalable.

D'autre part, le secrétaire général du Conseil œcuménique se disait étonné de constater que, dans le projet de préface, on avait sérieusement limité la portée du document concernant le *membership* et que l'on avait même omis d'y faire mention du Groupe mixte de Travail [2].

Enfin, le Dr E. Blake exprimait aussi ses regrets au sujet de l'ampleur donnée dans le projet de préface aux questions posées : on ne peut pas les présenter comme si aucune réponse n'y avait été donnée. Si déjà la préface constate que

---

1. Si pareille édition en commun s'avérait impossible, on veillerait au moins à préparer une publication séparée mais simultanée dans le temps : c'était une solution de rechange.

2. La lettre du Dr Blake contient d'autres critiques encore. Lettre du 29 février 1972 s/réf. ECB/HPC adressée au cardinal J. Willebrands. Voir archives du Conseil, bibliothèque du Conseil œcuménique à Genève.

les réponses sont incomplètes, la publication perd une grande partie de sa valeur.

On verra par la suite que les dirigeants du Secrétariat pour l'Unité se sont ralliés aux remarques faites par le Dr E. Blake.

Cette correspondance nous paraît particulièrement instructive car elle met bien en lumière l'ambiguïté et l'embarras qui caractérisent à plusieurs reprises l'attitude du Secrétariat pour l'Unité à partir de l'automne 1970. Alors que le Secrétariat cherche à faire une présentation dévalorisée des travaux accomplis en commun avec le Conseil œcuménique de l'été 1969 à l'été 1970, il y a en même temps ici une tentative de surévaluer l'autorité d'une simple consultation – Cartigny, juin 1971 – à laquelle le Conseil œcuménique avait à l'avance refusé de se lier...

Il était impossible au Dr Blake de laisser passer pareille tentative de maquiller des événements récents.

Dans la mise au point qu'il présente au Comité exécutif de février 1972, Lukas Vischer soulignait une conséquence importante du renvoi à plus tard d'une adhésion de l'Église catholique : la question qui surgit maintenant est de savoir si le Groupe mixte de Travail est toujours « une expression adéquate des relations pendant ce qui allait être une période relativement longue [1] ».

C'est bien ce problème qui va jeter son ombre sur les mois – et les années – à venir : comment prolonger des « fiançailles » une fois que l'on a renoncé ouvertement à un projet d'union véritable ?

L'assemblée plénière du Groupe mixte de Travail du 28 mai au 2 juin 1972 à Rome devait être la première confrontation du groupe mixte depuis l'échec du *membership*, enfin reconnu ouvertement. Dans le communiqué final, le Groupe mixte de Travail note que le problème de l'adhésion de l'Église catholique au Conseil œcuménique a bien fait l'objet d'une étude attentive, mais « il n'est pas réaliste à l'heure actuelle de fixer la date à laquelle elle

---

1. « The question must be asked whether the Joint Working Group was an adequate expression of relationships over what would be a relatively long periode. »

devrait faire son entrée. On ne s'attend pas à ce que celle-ci ait lieu dans un proche avenir [1] ».

Mais l'échange de vues de fin mai 1972 fut moins feutré que le langage enveloppé de ce communiqué. Car le « moment de vérité » fut propice à un échange mené en toute franchise. Le père Long, qui avait été le principal responsable de la rédaction du Comité des Six et du rapport présenté et amendé à Naples, reconnaît que la réunion plénière du Secrétariat romain a émis des réserves : « On estimait que plusieurs questions qui paraissaient claires pour le staff du Secrétariat ou pour des personnes impliquées dans les activités œcuméniques, comme par exemple le Groupe mixte de Travail, n'étaient pas claires du tout pour beaucoup d'autres personnes, même bienveillantes à l'égard du mouvement œcuménique et intéressées par ce mouvement. Il existe aussi un grand besoin d'éducation à l'œcuménisme [2] » (notre traduction de l'anglais). Selon notre interprétation, ce « manque d'éducation à l'œcuménisme » est une allusion voilée à l'impréparation œcuménique de nombreux évêques siégeant pour la première fois à la *Plenaria* du Secrétariat pour l'Unité en novembre 1970 ; un phénomène qui avait surpris et découragé le cardinal Willebrands.

Le père Long rappelle comment le manque de clarté a pesé sur l'échec du *membership* : le Conseil œcuménique lui-même a été présenté de manière trop statique, ne montrant pas assez l'aspect dynamique de ses relations avec

---

1. Pour ce communiqué, voir : Secrétariat pour l'Unité des chrétiens, *Service d'information*, n° 19 (janvier 1973) 13-14 ; voir aussi *La Documentation catholique* 69 (1972) p. 629-630 : un premier projet de ce communiqué permet de constater qu'un membre de phrase expliquant pourquoi on ne s'attend pas à l'entrée de l'Église catholique dans un proche avenir a été supprimé dans la version finale, à savoir les mots « étant donné que certaines questions théologiques, pastorales et organisationnelles ont encore besoin d'être résolues » / « since certain theological, pastoral and organizational questions still need resolution ». Voir archives du Conseil, bibliothèque du Conseil œcuménique à Genève.

2. Joint Working Group, *Minutes of the Meeting held at Rome*, Via Cassia, 29 mai-2 juin 1972, Secr. oct. 72 : 131, p. 15.

les Églises membres ; car celles-ci exercent à leur tour une influence sur Genève.

Du côté catholique romain, on a eu le sentiment que, si l'Église catholique adhérait au Conseil œcuménique, il était souhaitable que l'Église tout entière, à tous les niveaux, puisse y être impliquée [1].

Une autre interrogation était de savoir si cela valait vraiment la peine de devenir membre du Conseil afin de participer aux activités présentes du mouvement œcuménique. Certains croyaient le Conseil déjà « dépassé » (à cause de la contestation croissante de l'œcuménisme institutionnel devenue particulièrement vigoureuse après la crise de société de 1964 [Berkeley] à 1968 [Europe occidentale]).

Quant au Secrétariat lui-même, selon Long, certaines de ses observations étaient partagées par le staff, mais d'autres critiques provenaient d'un manque d'éducation œcuménique (sous-entendu : de certains évêques du Secrétariat).

Ensuite, le cardinal Willebrands donna un complément d'information. Il fait part des questions posées à Cartigny (juin 1971), dont les réponses étaient destinées à être incorporées « dans un article à rédiger par le Secrétariat en vue d'expliquer le point de vue actuel de l'Église catholique ». Quoique les éléments d'informations aient été rassemblés, l'étude elle-même n'était pas encore prête : « Peut-être qu'après la publication du rapport mixte dans *The Ecumenical Review* cette étude de la part catholique romaine sera encore publiée afin de donner une information entière à l'intérieur de l'Église catholique ». Plus tard dans la discussion, Willebrands revient sur l'ignorance catholique quant au mouvement œcuménique : certains imputent la responsabilité de la crise interne de l'Église au mouvement œcuménique, mais d'autres, qui ont déjà acquis une expérience du mouvement, se sont prononcés en faveur du *membership*.

---

1. À la réunion plénière du Secrétariat, on avait aussi demandé des explications sur certaines activités de Genève, en particulier au sujet du « Programme pour combattre le racisme » et sur la manière de concilier les services diplomatiques de l'Église catholique avec la « diplomatie ouverte » du Conseil œcuménique.

D'autres représentants de l'Église catholique au Groupe mixte de Travail apportent leur témoignage. Celui de Mgr Joseph L. Bernardin (USA) admet que l'ecclésiologie de Vatican II manque encore de maturité ; de là provient le manque de clarté sur les tâches œcuméniques dans l'immédiat. L'évêque américain ajoute avec clairvoyance : « La raison fondamentale pour laquelle nous ne rejoignons pas le Conseil œcuménique est d'ordre intrinsèque. L'Église catholique ne veut pas donner l'impression que c'est parce que quelque chose ne va pas avec le Conseil œcuménique [1] » (notre traduction de l'anglais).

Mais le point important à l'ordre du jour est d'examiner quel avenir l'on peut encore prévoir pour un Groupe mixte de Travail qui se trouve devant un échec grave, celui du *membership*. Cela a créé une situation nouvelle. Résumé à grands traits, cet échange montre deux tendances prédominantes.

Il nous paraît que ce sont les délégués du Conseil œcuménique qui se montrent les plus hésitants à poursuivre les activités du Groupe mixte de Travail, dont le caractère provisoire et transitoire avait été souligné depuis sa fondation en 1965. Certains intervenants rêvent tout haut et proposent de remplacer le Groupe mixte de Travail par un organisme nouveau et d'autres, moins pressés, sont d'avis que l'on pourrait envisager de poursuivre les activités du groupe… mais de manière temporaire.

Pour des motifs évidents, les délégués de l'Église catholique prônent la poursuite des activités entre le Conseil œcuménique et l'Église catholique, même s'il s'agit de partenaires dissemblables. Au moment où l'adhésion de l'Église catholique était clairement refusée, les instances dirigeantes de Rome n'ont pas manqué d'insister avec vigueur sur leur désir de poursuivre une collaboration « latérale » : l'ardeur de ce désir cherchait à compenser la déception du refus.

Le Dr Blake, qui à l'époque (fin mai-début juin 1972) terminait son mandat de secrétaire général du Conseil œcuménique, ne cachait pas ses soucis devant le ralentissement

---

1. Joint Working Group, *Minutes of the Meeting held at Rome*, p. 18.

du dynamisme après Uppsala et après la visite de Paul VI à Genève. Il regrettait l'échec actuel, car il avait la conviction que l'entrée de l'Église catholique au Conseil aurait renforcé le mouvement œcuménique au plan mondial.

Aujourd'hui une collaboration dynamique avec l'Église catholique devenait difficile. Il ne pouvait pas accepter les critiques énumérées par le père Long car les torts étaient partagés. Pour lui, la question cruciale demeurait : comment maintenant pouvoir encore coopérer pour une période qui s'annonce plus longue que prévu[1] ?

Au Comité central d'Utrecht, quelques mois plus tard, le secrétaire général sortant parlera à nouveau avec résignation mais sans taire sa désapprobation devant l'anomalie de cette nouvelle situation, c'est-à-dire la pleine collaboration entre une Église non membre et un Conseil d'Églises. *Car pour lui il est clair que le Groupe mixte de Travail n'avait jamais été conçu comme un organe permanent !* Il déclare entre autres : « Ne faut-il pas que nous réexaminions la structure du Groupe mixte de Travail, qui a toujours été conçu comme un pas, une étape vers la collaboration, et non comme un organe permanent ?... Nous devons examiner ensemble, en toute franchise, ce que coûtent de temps et d'argent nos tentatives de coopération qui ne sont pas toujours immédiatement constructives[2]. »

On ne perdra pas de vue que la position du Dr Blake et d'autres dirigeants du Conseil œcuménique à l'époque correspond exactement à l'opinion exprimée officiellement dans le rapport commun au sujet du *membership*, où l'on pouvait lire : « Cependant, il semble que le travail commun entre l'Église catholique et le Conseil œcuménique atteindra bientôt le point où il sera clair qu'une connaissance mutuelle plus profonde et l'expérience de l'œuvre du Christ en chacun des partenaires ne pourront progresser qu'en

---

1. *Ibid.*, p. 16. À la fin de la discussion du Groupe mixte de Travail, le Dr E. Blake concède que l'on pourrait poursuivre le Groupe mixte de Travail actuel en attendant un nouvel examen de la question après l'année suivante.

2. *La Documentation catholique* 69 (1972) p. 779 ; rapport présenté à Utrecht le 14 août 1972.

harmonie avec la découverte de nouvelles formes organiques de travail commun [1] » (notre traduction de l'anglais).

Pour résumer le débat du Groupe mixte de Travail en
termes plus familiers : comment, après avoir été fiancés,
rester bons amis sans une « union » à l'horizon ?

Quant au Dr L. Vischer, qui avec les amis du Secrétariat
avait été un des principaux architectes du projet de
membership, il concède que le Groupe mixte de Travail ne
doit pas disparaître immédiatement, mais qu'il convient de
réfléchir maintenant à ce qui pourrait le remplacer. Il
propose d'instaurer un groupe d'étude composé d'une part
de membres du Groupe mixte de Travail et d'autre part par
des personnes de l'extérieur, de tendances différentes et plus
représentatives que le Groupe mixte de Travail.

Le président, résumant la discussion, croit qu'il serait
donc sage de poursuivre le Groupe mixte de Travail actuel
au moins jusqu'après la réunion d'Utrecht [2].

Il ne faudrait pas sous-estimer la signification de l'attitude claire et décidée du Dr E. Blake, qui finalement main-
tient son avis critique. Il estime qu'après l'échec du
membership la coopération *dissemblable* ou *latérale* avec
l'Église catholique, selon la formule du Groupe mixte de
Travail, ne devait pas être prolongée : ce serait une solution
peu recommandable car nuisible au développement normal
du Conseil œcuménique et aussi, à long terme, génératrice
de risques graves.

---

1. « Patterns of relationships between the Roman Catholic Church
and the World Council of Churches », *The Ecumenical Review* 24
(juillet 1972) p. 268.

2. Le Comité central est prévu à Utrecht au cours du mois d'août
1972. Le compte rendu ici ne mentionne pas le nom du président du
jour : Mgr Holland (Église catholique) et le Dr Miguez-Bonino (Conseil
œcuménique) dirigeaient les débats à tour de rôle. Les conclusions tirées
de cet échange et décrites dans une *Drafted Minute*, annoncent que la
prochaine réunion du Groupe mixte de Travail aura lieu en 1973 avec un
double ordre du jour : d'une part une analyse et une évaluation de la
position des Églises devant leurs problèmes actuels et les retombées de
ceux-ci pour l'œcuménisme, et d'autre part l'examen des structures de
collaboration les plus appropriées. Joint Working Group, *Minutes of the
Meeting held at Rome*, Via Cassia, 29 mai-2 juin 1972, Secr. oct. 72 :
131, p. 22.

Il y a à cet égard un texte prémonitoire qui, déjà au lendemain de la première période du concile Vatican II, révèle la lucidité des dirigeants du Conseil œcuménique, pressentant les difficultés à venir.

Il s'agit d'une analyse rédigée par le Dr Lukas Vischer en mars 1963 et soumise pour commentaire à une série de grands théologiens des Églises membres sous le titre de *The World Council of Churches and the Roman Catholic Church* [1].

Après avoir esquissé l'ouverture récente à l'œcuménisme de l'Église catholique à l'occasion de la première période de Vatican II, Lukas Vischer cherche à évaluer les différentes formes qu'une *coopération à venir* entre Genève et Rome pourrait prendre. Ayant d'abord diagnostiqué qu'une véritable adhésion de Rome au Conseil œcuménique se révélera incompatible avec la manière de fonctionner de l'Église catholique, l'auteur estime qu'une coopération « latérale » sans adhésion finira par apparaître comme la seule solution conciliable avec le désir de l'Église catholique de mener son propre jeu et dans le but d'imposer Rome comme le véritable centre du mouvement œcuménique.

Une coopération latérale sans les liens d'un *membership* permettrait à l'Église catholique de profiter des avantages du Conseil lorsque cela lui convient, tout en gardant ses distances et en préservant une position incontestée de leadership dans les domaines de son choix.

Ce serait là un privilège exorbitant qui risquerait de séduire certaines Églises membres, en particulier les Églises orthodoxes. Mais aussi un privilège inacceptable pour l'ensemble des Églises, principalement de la tendance

---

1. La version de langue anglaise comprend 15 pages dactylographiées. Voir les archives du Conseil, à la bibliothèque du Conseil œcuménique, dans la série *Letters and other papers concerning the Second Vatican Council*, de Lukas Vischer, vol. 1. Cette analyse reflète de manière instructive les sentiments parfois contradictoires que le staff de Genève éprouve à l'égard de Rome au début de Vatican II : méfiance et admiration, impatience devant une mutation qui ne fait que commencer et interprétation lucide des réflexes romains dans l'exercice d'un pouvoir monolithique que la majorité conciliaire voudrait bien battre en brèche.

protestante extrême : à leurs yeux, Rome serait ainsi autorisée à se servir du Conseil œcuménique comme d'un instrument au service de ses propres buts.

L'auteur de cette analyse, dont nous ne donnons ici
qu'une pauvre esquisse, cherche, en conclusion, à se
prémunir contre les dangers de pareille évolution. Il propose
donc d'arriver à rédiger, avec le Secrétariat pour l'Unité du
cardinal Bea, le texte commun d'une *déclaration de loyauté*
à laquelle l'Église catholique devrait souscrire en vue
d'assumer un certain nombre d'obligations.

Le but à poursuivre dans cette perspective est de sauver
à tout prix la conception que le Conseil œcuménique a de
lui-même et à laquelle les Églises membres demeurent
attachées.

Le pasteur Vischer écrit à cet égard : « Les relations entre
le Conseil œcuménique et l'Église catholique ne peuvent
pas être laissées au hasard. Elles doivent être modelées de
façon à ce que les bases du Conseil œcuménique ne soient
pas affaiblies ou, en tout cas, de manière telle que les
anomalies soient réduites au minimum. De l'aveu de tous,
les bases du Conseil œcuménique ne sont encore que
d'ordre provisoire, et elles doivent être capables d'adaptation à des situations nouvelles. Mais tout cela comporte
aussi beaucoup de pesanteurs, de sorte que des raisons théologiques sont souvent nécessaires pour que l'on bouge. Pour
le moment, les Églises membres ne voient guère de raisons
de réviser entièrement les bases du Conseil œcuménique [1] »
(notre traduction de l'anglais).

---

1. Joint Working Group, *Minutes of the Meeting held at Rome*, p. 12.
La stratégie proposée par l'auteur comprend aussi une tactique de
« non-dits » : quels que soient les problèmes évoqués, le Conseil
œcuménique doit en tout cas éviter de perdre l'initiative, il faut qu'il
maintienne les contacts avec Rome : « Cependant, dans tous les contacts
qui auront lieu dans un futur proche, la clarification des relations devrait
être le but subsidiaire, de façon tacite tout d'abord, et ensuite de manière
déclarée. Bien sûr, il sera plus facile de clarifier les positions si le
Conseil œcuménique refuse de laisser l'initiative lui échapper et s'il
arrive à susciter de réelles initiatives dans les rencontres avec Rome et à
accentuer le caractère œcuménique des travaux entrepris » (notre
traduction de l'anglais, *ibid.*, p. 13).

Ce regard rétrospectif sur un document prémonitoire, rédigé presque une dizaine d'années avant la crise de 1972, nous permet de mieux comprendre le *back-ground* des prises de position du Secrétaire général du Conseil œcuménique de l'époque, s'opposant à la poursuite *sine die* d'une coopération dans le style du Groupe mixte de Travail.

LA PUBLICATION DU RAPPORT « MEMBERSHIP »

C'est sous le titre « Patterns of Relationships between the Roman Catholic Church and the World Council of Churches » que le document concernant le *membership* parut en juillet 1972 dans la revue la plus autorisée du Conseil, *The Ecumenical Review* [1].

Même si nous avons déjà esquissé les moments importants de la genèse de ce document significatif, il faut encore indiquer brièvement les quatre versions successives qui nous sont actuellement connues.

Évolution et contenu du rapport du Groupe mixte de Travail.

Le TEXTE A est le premier projet de texte du Comité des Six, daté du 23 mars 1970 et destiné au Groupe mixte de Travail de mai 1970. Ce texte comprend vingt-trois pages et est structuré en deux parties principales :

I. « Considérations théologiques et pastorales » (description du Conseil œcuménique et de sa signification

---

1. Voir *The Ecumenical Review* 24 (juillet 1972) p. 247-288. Une traduction en français « Les types de relation entre l'Église catholique romaine et le Conseil œcuménique des Églises » se trouve dans *La Documentation catholique* 69 (1972) p. 759-777 : le « rapport du pasteur Vischer sur le Groupe mixte de Travail » présenté au Comité central du Conseil œcuménique à Utrecht le 17 août 1972 est repris dans le même fascicule de *La Documentation catholique* 69 (1972) p. 777-780. Les citations que nous faisons dans la suite de notre texte proviennent de cette version de *La Documentation catholique*.

ecclésiologique, aspects du fonctionnement de l'Église catholique qui paraissent poser des questions).

II. « Considérations relatives aux organisations » (différentes mises en forme d'une adhésion éventuelle, relations entre organisations et aspects pratiques).

Le TEXTE B résulte d'une mise au point exécutée par les Six à la suite du Groupe mixte de Travail de Naples fin mai 1970 : ce texte est daté du 20 juin 1970 et est destiné à l'*Officers Meeting* du 1er août 1970. Ce texte comprend vingt-six pages et est structuré en quatre parties principales :

I. « Le Conseil œcuménique des Églises, l'Église catholique romaine et le mouvement œcuménique ».

II. « Quelles formes pourraient prendre des relations plus étroites ? »

III. « Une nouvelle forme de participation constituée différemment ? »

IV. « *Membership* de l'Église catholique au Conseil œcuménique :

a. questions pratiques ;

b. questions spécifiques ».

(V. « Conclusion »).

Le TEXTE C comprend les ultimes modifications du Comité des Six (incomplet) à la suite de l'*Officers Meeting* à Rome le 1er août 1970 ; il est daté des 12-15 août 1970 et est destiné d'abord à l'*Officers Meeting* du 22 septembre 1970, ensuite à la *Plenaria* du Secrétariat romain pour l'Unité de novembre 1970 puis au Comité central du Conseil de Genève de janvier 1971. Il faut noter que ce texte destiné au Comité central de janvier 1971 n'atteindra pas cette destination : il sera communiqué pour la première fois avec un retard considérable à un organisme du Conseil œcuménique au Comité exécutif de février 1972. Ce texte C comprend trente-trois pages et reprend le texte B dans une version quelque peu amendée mais divisée autrement. Il est structuré en trois parties principales :

I. « Le Conseil œcuménique des Églises, l'Église catholique romaine et le mouvement œcuménique » (I du texte B).

II. « Quelles formes pourraient prendre des relations plus étroites ? » (II + III du texte B).

III. « *Membership* de l'Église catholique au Conseil œcuménique » (IV du texte B) :

a. « questions pratiques ;

b. questions spécifiques ».

La modification la plus visible – il y en eut d'autres – introduite à partir du texte C est la suppression de la finale de la conclusion qui figurait à la fin du texte B et qui, à ma connaissance, n'a jamais été publiée. Nous la reproduisons et la traduisons dans l'ANNEXE VI à la fin de cet ouvrage. La suppression de cette conclusion qui décrit une large consultation à l'intérieur de l'Église catholique nous paraît significative.

De manière générale, si la structure du texte est remaniée entre A et B, il nous semble que les modifications les plus importantes se sont situées entre B et C, soit entre fin juin et mi-août 1970.

Pour autant que nous sachions, le Secrétariat a aussi abandonné le projet de publier séparément une brochure justificative. Ce projet faisait l'objet d'une promesse explicite dans la préface commune du rapport *membership*.

Le TEXTE D est le texte final qui, après de nombreuses tergiversations, paraît en juillet 1972 dans *The Ecumenical Review* et est destiné au Comité central du Conseil œcuménique en août 1972 à Utrecht.

Ce texte final (texte D dans notre classification) provient de la discussion difficile de la réunion plénière du Secrétariat pour l'Unité à Rome (novembre 1970) et des déclarations restrictives du père Hamer au Comité central du Conseil œcuménique à Addis-Abeba (janvier 1971). Mais il est aussi le résultat des négociations de février et de juin 1972, à la suite desquelles le Secrétariat romain, se ralliant à la proposition de Genève, a fini par accepter une préface commune signée par le Dr Blake et le cardinal Willebrands.

Le document dans la version finale de juillet 1972 comprend donc trois parties distinctes. Une *première partie* traite de la nature et du fonctionnement du Conseil œcuménique et ensuite de la vision que l'Église catholique a acquise du mouvement œcuménique depuis Vatican II. Rien dans le but ni dans la constitution du Conseil de Genève ne s'oppose à une adhésion plus organique de l'Église catholique au Conseil œcuménique : cela vaut également en ce qui concerne les principes en matière œcuménique promulgués par le dernier concile. Les objections invoquées actuellement ne sont pas insolubles.

Selon le titre même du rapport commun, on examine – dans une *deuxième partie* – les différents « types de relation » dont pourraient s'inspirer les nouvelles relations qui sont envisagées, en vue d'en évaluer avantages et inconvénients. Il s'agira :

1. soit de l'intensification de la collaboration actuelle avec une coordination des structures qui la soutienne (option A) ;

2. soit de la formation d'une nouvelle association fraternelle d'Églises, mais constituée différemment :

soit sur la base des « familles confessionnelles »,

soit à partir des « conseils d'Églises » locaux, régionaux ou nationaux,

soit en prenant appui sur des associations chrétiennes diverses à vocation internationale (option B) ;

3. soit de l'entrée de l'Église catholique comme membre du Conseil œcuménique (*membership*) (option C).

Si le type de relation présenté en premier lieu offre certains avantages, il n'échappe pas à de nombreux inconvénients, dont le premier est évidemment la disparité entre deux entités non comparables.

Les différentes possibilités de constituer une nouvelle association fraternelle d'Églises, énumérées sous le 2., ne sont pas retenues comme valables par les auteurs du rapport commun.

C'est à la troisième éventualité, celle du *membership* (option C), qu'est consacrée la *troisième partie* du document final.

Cette adhésion peut se réaliser de trois manières différentes, soit en partant des conférences épiscopales (ou synode patriarcal), soit avec comme point d'ancrage la participation du Saint-Siège, soit selon une troisième formule : l'adhésion serait demandée par l'Église catholique comme une seule Église membre mais avec la participation active des conférences épiscopales, exhortées à s'engager également dans cette adhésion.

Pour saisir les nuances de cette proposition, il nous faut faire ici une citation un peu longue de ces trois modalités différentes de participation au Conseil œcuménique :

a. Chaque synode patriarcal et chaque conférence épiscopale demanderait à devenir membre, auquel cas le nombre des Églises membres monterait d'environ 240 à 330. La participation catholique serait ainsi plus comparable à celle de la grande majorité des Églises membres actuelles. Une telle forme, cependant, ne tiendrait pas assez compte de la façon dont l'Église catholique romaine se conçoit comme une seule et même association universelle, ni des rapports existants entre les Églises locales et le Saint-Siège ou entre elles, comme il a été dit plus haut.

b. L'Église catholique romaine demanderait à entrer comme une seule Église membre et n'exprimerait sa participation qu'exclusivement par le moyen du Saint-Siège. Ceci soulignerait le caractère universel de l'Église catholique romaine et l'unité dont elle jouit. Cependant, cela ne serait pas suffisant pour représenter la grande diversité qui la caractérise aussi.

c. L'Église catholique romaine demanderait à participer comme une seule et même Église membre et exercerait sa qualité de membre avec la participation active des synodes patriarcaux et des conférences épiscopales. Celles-ci et ceux-là pourraient être expressément nommés comme participant au *membership*. Des solutions semblables ont déjà été adoptées pour certaines Églises membres du Conseil œcuménique des Églises. Dans le cas de l'Église catholique romaine, il faudrait déclarer dans une note jointe au document d'admission ce que, de façon précise, signifierait la participation des conférences épiscopales dans la pratique.

Cette dernière formule (celle du paragraphe c) a la préférence des auteurs du rapport commun.

Après avoir examiné les critères, les aspects concrets et les conséquences de cette adhésion au Conseil de Genève, le rapport énumère quelques objections souvent entendues et s'efforce d'y donner des réponses.

Ainsi on rappelle combien les deux entités en question – Église catholique et Conseil œcuménique – constituent des réalités historiques propres. Nous citons entre autres le passage suivant des « Conclusions » :

Lorsqu'on prend en considération l'entrée de l'Église catholique romaine dans le Conseil œcuménique des Églises, il faut avoir présente à l'esprit la réalité historique de ces deux entités. Ni l'ultime décision, ni le processus d'étude préalable ne se situent dans un vide historique. Les pressions s'exerçant en faveur d'un changement, évidentes dans le monde, sont tout aussi bien ressenties à la fois dans l'Église catholique romaine et dans le Conseil œcuménique des Églises. L'Église catholique romaine est en train de s'adapter à de nouvelles structures (par exemple, les conférences épiscopales, le synode des évêques), qui sont encore à la période de développement. Dans le même temps, le Conseil œcuménique des Églises connaît une période de développement qui pourrait produire d'importants changements ; dans l'étude qu'il fait actuellement de ses structures, il n'est pas indifférent aux implications d'une entrée possible de l'Église catholique romaine. Ce qui est dit dans ce rapport peut donc nécessiter des modifications à la lumière de développements ultérieurs au sein tant de l'Église catholique que du Conseil œcuménique des Églises (extrait des « Conclusions » du rapport).

Du point de vue rédactionnel, la version finale (texte D) a acquis une structure plus claire et plus logique. Certains participants à Naples avaient insisté pour que, dans l'éventail des trois solutions possibles, une attention plus grande soit consacrée aux alternatives non retenues : 1. l'intensification de la collaboration actuelle et 2. la formation d'une nouvelle association d'Églises.

À partir de la première révision du texte à Naples (texte B), l'hypothèse de l'adhésion conserve un traitement prioritaire – qui d'ailleurs avait été demandé à la réunion de Gwatt, mai 1969 –, mais les deux autres solutions sont développées davantage dans des paragraphes propres [1].

À la dernière révision de l'été 1970 (texte C), on cherchera à nuancer le rapport en le divisant en trois paragraphes et en privilégiant à nouveau la solution du *membership*.

La version finale (texte D) reflètera donc la révision de

---

1. Le texte B comprendra ainsi 4 paragraphes : 1. généralités, 2. intensifier la collaboration actuelle, 3. nouvelles formes d'association, 4. adhésion comme membre.

l'été 1970, car les modifications textuelles de cette version ne sont pas nombreuses.

Une dévaluation progressive.

Plus significative que les modifications rédactionnelles auxquelles nous avons fait allusion, est la « dévaluation » progressive du rapport commun. À l'origine, le texte demandé au Comité des Six était destiné à être joint au *troisième rapport officiel* du Groupe mixte de Travail et à y figurer comme Annexe IV. Lorsque les réticences du partenaire catholique romain se font jour pendant le second semestre de 1970, on entend répéter qu'il s'agira d'un simple « document d'étude ».

À partir de la *Plenaria* du Secrétariat pour l'Unité à Rome (novembre 1970), le texte est détaché du rapport officiel et sa publication reste dans le brouillard [1].

Enfin, la publication du rapport commun exigée en préparation du Comité central d'Utrecht est introduite par une préface qui explicite à nouveau la portée limitée du texte présenté.

Cette préface, signée pourtant par le cardinal J. Willebrands et le Dr E. Blake, ne donne pas vraiment satisfaction. Faisant mention des fortes réticences que la réunion plénière du Secrétariat romain avait exprimées, les préfaciers promettent que ces réserves feront l'objet d'une publication ultérieure, mais jusqu'à ce jour cette explication n'a toujours pas été fournie [2].

Les mêmes auteurs espèrent que le rapport une fois diffusé pourra stimuler une discussion plus large et permettra d'approfondir l'échange de vues au sujet de ce rapprochement Église catholique et Conseil œcuménique.

---

1. Dans une note précédente (ci-dessus, n. 1, p. 62), nous avons déjà décrit la manière déroutante dont le rapport officiel du Groupe mixte de Travail fut publié sans indiquer qu'une des annexes était manquante.

2. La responsabilité de ce retard incombe aux autorités de l'Église catholique. Leur silence peut être interprété comme le résultat d'une divergence d'opinions à l'intérieur des milieux responsables à Rome. C'est tout au moins une hypothèse de travail importante.

*En réalité, la publication du texte a plutôt contribué à
sonner le glas du rapprochement organique que l'assemblée générale du Conseil œcuménique à Uppsala et un large
courant de l'opinion catholique avaient réclamé quelques
années auparavant comme une avancée qui, alors, paraissait aller de soi.*

*Cependant, l'aspect le plus grave de l'échec de la candi-
dature au* membership *se trouve dans la procédure suivie.
Il nous semble que les autorités romaines, en prenant
l'affaire en main et en bloquant le large processus de
consultation qui était prévu et annoncé, ont court-circuité
les instances responsables du Secrétariat pour l'Unité, les
conférences épiscopales qui allaient être consultées, le
synode des évêques auquel le projet aurait pu être soumis,
et d'autres organismes encore dont il avait été question en
1970. Ce court-circuit n'a pu qu'avoir un effet néfaste sur la
situation œcuménique en général et sur le suivi dynamique
du concile Vatican II en particulier.*

Acteur et proche observateur du processus du
membership, le père Thomas Stransky allait en témoigner
plus tard : « L'erreur de l'Église catholique en 1972 n'a sans
doute pas été dans la décision du Saint-Siège de s'abstenir
face au *membership* du Conseil œcuménique. L'erreur, à
mon sens, fut dans la manière d'arriver à cette décision. Le
Groupe mixte de Travail n'avait jamais été naïf au point
d'imaginer que l'hypothèse du *membership* de l'Église
catholique ne requerrait pas une étude longue et approfondie. En 1972, le Saint-Siège bloqua les projets de consultations qui avaient été envisagés et anticipa la décision
elle-même [1] » (notre traduction de l'anglais).

---

1. Th. F. STRANSKY, « A Basis beyond the Basis », *The Ecumenical
Review* 37 (avril 1985) p. 219. Dans le même article, l'auteur donne à la
collaboration poursuivie entre Église catholique et Conseil œcuménique
après l'échec une évaluation négative : « Mais l'image dominante et le
message perceptible restent préjudiciables. Qu'elle soit valide ou non,
l'image est celle-ci : le Conseil œcuménique a sa propre marque protes-
tante/anglicane/orthodoxe d'œcuménisme lorsque ses membres travaillent entre eux et au sein du Conseil œcuménique, et cette marque opère
mieux quand l'Église catholique garde ses distances ; et, de manière
parallèle, l'Église catholique a elle aussi sa marque propre, et celle-ci

La majorité du concile avait vu le principe de la collégialité épiscopale comme un facteur propre à rééquilibrer la primauté pontificale : en cela Vatican II aurait complété l'œuvre de Vatican I restée inachevée à cause de la guerre de 1870.

La dynamique de ce principe, freinée en novembre 1964 par la majoration indue de la *Nota Praevia*, avait connu une dernière tentative de développement au synode épiscopal d'octobre 1969, mais aussitôt freinée par la censure finale de Paul VI.

Le « court-circuit » à l'égard de l'adhésion au Conseil œcuménique des Églises en 1970-1971 peut être interprété comme la suite de cette relecture réductive de la Constitution conciliaire sur l'Église, *Lumen gentium*.

Il n'est pas sans intérêt de relire à cet égard les « ultimes réflexions » du pasteur W. A. Visser 't Hooft, rédigées quelques mois avant son décès (1985). Faisant allusion au refus de l'Église catholique de demander son adhésion au Conseil œcuménique en 1972, l'ancien secrétaire général du Conseil dit ses regrets que le débat général, promis par le Secrétariat pour l'Unité, n'a finalement pas eu lieu. Il poursuit : « Je voudrais ajouter que je ne vois pas qu'une large consultation aurait conduit à une position décisive concernant l'adhésion. Je pense que nous aurions tous ensemble découvert que le problème structurel pour amener l'Église catholique à appartenir au Conseil œcuménique était insoluble[1]... »

C'est dans cette situation difficile que les instances dirigeantes du Secrétariat pour l'Unité n'ont cessé de faire des promesses qu'elles ne pourraient pas tenir[2].

---

opère mieux à distance du Conseil œcuménique que dans les relations bilatérales ou multilatérales aux différents niveaux local, national ou mondial... » (notre traduction de l'anglais, *ibid.*, p. 220).

1. W. A. VISSER 'T HOOFT, « Le Conseil œcuménique et l'Église catholique », *La Documentation catholique* 83 (1986) p. 125-129, particulièrement p. 128.

2. Ainsi le calendrier accepté à la réunion de Naples (mai 1970) avait prévu la publication du rapport *membership* en janvier 1971 ; à l'été

Motifs du refus du « membership ».

Avant de chercher à déceler les raisons profondes de
l'échec de la candidature de l'Église catholique, il convient
d'esquisser les motifs du refus, qui sont évoqués dans deux
documents instructifs qui sont à notre disposition : d'une
part le « Commentaire » rédigé par J. Willebrands[1] en
novembre 1970, et d'autre part le « questionnaire-fleuve »
remis six mois plus tard aux dirigeants du Conseil œcuménique, comprenant trente-quatre questions qui firent l'objet
d'une concertation avec le staff de Genève les 26 et
27 juin 1971 à Cartigny et dont nous avons déjà parlé
précédemment[2].

Le « Commentaire » de Mgr Willebrands.

La principale source d'inspiration du « Commentaire »
de Mgr Willebrands se trouve dans le document de travail
rédigé à son intention par un groupe d'experts du Secrétariat
romain en octobre 1970.

Des œcuménistes catholiques se retrouvèrent alors entre
eux pour discuter du rapport du Groupe mixte de Travail sur
le *membership*. Cette consultation proposa non pas
d'amender le rapport, mais de rédiger un autre document qui
devait lui être adjoint. On prévoyait alors qu'un « questionnaire de base » serait mis plus tard à la disposition des
conférences épiscopales et d'autres organismes concernés :
leurs réponses seraient discutées à la prochaine *Plenaria* du
Secrétariat[3]. Lorsque l'on compare le « Commentaire » de
J. Willebrands au document des consulteurs, on constate

1970, le cardinal Willebrands promet de faire une présentation du document aux évêques en marge du synode d'octobre 1971 ; encore en juin
1972, il y a la promesse de présenter un article explicatif dont la rédaction était en cours… Tout cela en vain.

1. Archives de Mgr E. J. De Smedt, diocèse de Bruges, Plenaria 1970,
Secr. nov. 70, n° 180.

2. Le lecteur trouvera ces deux textes inédits à la fin de ce volume
(ANNEXES IV et V).

3. Voir archives de Mgr E. J. De Smedt, diocèse de Bruges, Plenaria
1970 Secr. nov. 70, n° 153 (8 pages).

que le président du Secrétariat reprend entièrement la partie centrale de celui-ci et aussi la majeure partie des « commentaires spécifiques » concernant le rapport examiné.

Malgré l'accroissement constant du nombre de points d'interrogation – de 1970 à 1972 –, il y a des préoccupations constantes qui surgissent dès la réunion de Naples et qui, par la suite, sont maintenues dans la même ligne.

Le « questionnaire-fleuve » de Cartigny.

Nous avons déjà fait allusion précédemment à l'élargissement progressif du débat interne dans l'Église catholique. Il nous semble que l'on pourrait ainsi distinguer trois couches rédactionnelles dans le « questionnaire-fleuve », dont la rédaction finale a pu apparaître aux témoins avertis comme le « mane tekel fares » *d'un futur échec :*

1. certaines observations reflètent des avis du staff même du Secrétariat (à la suite de la Commission des *consulteurs* d'octobre 1970) ;

2. d'autres critiques proviennent de ce que Willebrands a appelé « un manque d'éducation œcuménique » (à la suite des objections de la part de certains *évêques* de la *Plenaria* de novembre 1970) dont le manque d'initiation aux questions œcuméniques avait profondément déçu Willebrands ;

3. enfin certaines questions paraissent provenir des milieux de la Curie romaine (après novembre 1970 et après *l'avis négatif* du père Dumont, de décembre 1970).

On pourrait dire, en simplifiant avec quelque outrance, qu'ainsi se mêlent les voix des « spécialistes », des « pasteurs » et des « administratifs ».

Le cardinal Willebrands, quant à lui, paraît reconnaître la chose lorsqu'en mai 1971 il parle de « questions qui se sont levées *de divers côtés* dans l'Église catholique » (notre traduction de l'anglais ; nous soulignons).

Cet éventail d'opinions différentes permet de mieux comprendre les difficultés que le cardinal Willebrands n'a pas cessé de rencontrer lorsqu'il s'est efforcé de jouer le médiateur *à l'intérieur du milieu catholique romain* et de rapprocher des perspectives difficilement conciliables.

Quelques rubriques parmi les plus significatives se trouvent mentionnées dans l'intervention décisive du père Hamer au Comité central de janvier 1971 à Addis-Abeba. Nous les avons déjà citées précédemment (voir p. 64).

Quelques questions spécifiques.

D'autre part, il nous paraît que le rapport *membership*, intitulé en français « Types de relations entre l'Église catholique romaine et le Conseil œcuménique des Églises », indique clairement dans sa version finale, sous le paragraphe « Quelques questions spécifiques », quatre points des plus difficiles qui ont fait obstacle au *membership*. Il s'agit de :
1. L'ecclésiologie de l'Église catholique,
2. Autorité,
3. La primauté papale et le Conseil œcuménique,
4. Le statut juridique du Saint-Siège [1].
Ce sont là exactement les quatre premières rubriques énumérées par le père Dumont dans l'avis négatif qu'il rédigea à l'intention de Paul VI à la fin de 1970.
À titre documentaire nous reproduisons ici un extrait du deuxième paragraphe (sous-titré « Autorité ») du rapport final sur l'adhésion éventuelle de Rome, paragraphe qui fut un des points les plus sensibles de la discussion à l'époque :

L'autorité du Conseil œcuménique des Églises, telle qu'elle est exprimée dans la Constitution et le Règlement, a été décrite au chapitre I, A, 7. Selon ces textes qui font autorité, il est clair que si l'Église catholique romaine entrait comme membre dans le Conseil œcuménique des Églises, aucun obstacle ne serait mis à l'exercice pleinement libre de l'autorité de son magistère. Sa participation aux déclarations et aux actes du Conseil œcuménique des Églises se situerait sur un autre plan que celui où elle parle et agit en son propre nom ; dans le Conseil œcuménique des Églises, elle prendrait une part active à une manière de parler et d'agir qui cherche à refléter les convictions et les intérêts de toutes les Églises. C'est l'Église catholique elle-même qui pourrait décider de l'autorité des déclarations du Conseil.

---

1. Voir *La Documentation catholique* 69 (1972) p. 775-776.

L'Église catholique romaine parle et agit avec autorité à un plan universel. D'autres Églises ne parlent ni n'agissent avec une telle autorité à ce plan. Les Églises membres du Conseil œcuménique des Églises tendent à regarder celui-ci comme une organisation qui les rende à même de remplir certaines tâches au plan mondial.

La question se pose de la relation qui existerait entre les paroles et les actes de l'Église catholique romaine et les activités du Conseil œcuménique des Églises. D'un côté, il doit être dit que les deux modes de parler et d'agir peuvent avoir entre eux une relation positive ; il peut, de plus en plus, apparaître comme un avantage que l'on dispose, au plan mondial, de deux modes différents. Les déclarations et les actes du magistère catholique romain seront peut-être souhaitables dans certaines circonstances, et l'avis commun des Églises membres du Conseil dans d'autres circonstances.

Il doit, toutefois, être honnêtement reconnu que pourraient surgir certaines difficultés. Il peut se faire qu'une déclaration de l'Église catholique romaine diffère d'une déclaration résultant d'une discussion œcuménique [1].

DU COMITÉ CENTRAL D'UTRECHT (1972)
À L'ASSEMBLÉE DE NAIROBI (1975)

Le Comité central de l'été 1972, qui remplissait l'immense hall de la « Foire commerciale » d'Utrecht (Pays-Bas), fut le cadre de divers événements importants comme l'élection d'un nouveau secrétaire général en la personne du très charismatique Dr Ph. Potter, comme la préparation intensive de l'assemblée générale de 1975 à Nairobi, ainsi que la discussion de la thématique de la « conciliarité ».

La question de la non-candidature de l'Église catholique se trouvant à l'ordre du jour, la déception qui s'était déjà exprimée dans les Comités restreints du Conseil œcuménique allait apparaître maintenant au grand jour [2].

---

1. *Ibid.*, p. 775.
2. Plusieurs organes de la presse catholique aux Pays-Bas, très sensibles à l'époque à la nouvelle dynamique du mouvement œcumé-

Selon l'expression de dom E. Lanne, « le Comité central à Utrecht en 1972 fut un moment délicat »[1]. Le Dr Blake n'y cacha pas l'« anti-climax » que constituait la décision de ne pas décider de la part de l'Église catholique : il citait avec nostalgie l'appel dynamique, courageux et fraternel que le père Tucci avait lancé à Uppsala (juillet 1968) en faveur du *membership*[2].

À la suite de recommandations formelles du *Policy Reference Committee* à Utrecht, le Comité central décida d'encourager le Groupe mixte de Travail à examiner quelles seraient les meilleures manières d'organiser la future collaboration. Il y ajoutait : « Évidemment, cette étude doit aller au-delà des considérations purement organisationnelles. Elle doit être entreprise sur la base d'une analyse attentive de la situation œcuménique actuelle et montrer que les développements aux niveaux nationaux et locaux ont des implications dans les relations au niveau international. La compréhension mutuelle de la communion en Christ, qui déjà nous unit, nécessite d'ultérieurs approfondissements et élargissements[3] » (notre traduction de l'anglais).

Dans ce même contexte, deux interventions furent significatives. D'abord celle du Dr Lukas Vischer, qui fit rapport au Comité central au sujet du Groupe mixte de Travail. Il déclara que le document d'étude concernant le *membership*

---

nique, ne manquèrent pas d'exprimer de vives critiques à l'égard de Rome pour son refus d'adhésion.

1. Rapport présenté par le père Lanne au Bureau de la Commission nationale pour l'œcuménisme en Belgique le 15 mai 1982 à Bruxelles. Voir aussi E. LANNE, « La 25ᵉ réunion du Comité central à Utrecht », *Irénikon* 45 (1972) p. 496.

2. Faisant rapport au Comité central le 13 août 1972, le Dr Blake, secrétaire général sortant, fit part à l'assemblée de son audience chez Paul VI quelques semaines auparavant : au cours d'une « discussion paisible et ouverte » sur le problème de l'adhésion, le pape lui donna l'assurance que lui-même et le cardinal Willebrands allaient s'efforcer de consolider et améliorer les programmes très divers de coopération. Il y incluait l'apport de l'Église catholique dans les travaux préparatoires de l'assemblée du Conseil en 1975 (Communiqué de presse du Comité central du 13 août 1972).

3. *Policy Reference Committee I. Report to Central Committee.* Document de séance n° 46, p. 6-7.

de l'Église catholique était destiné à éclaircir la question des relations entre Rome et Genève : « Le rapport est une première contribution dans ce sens. Il a été publié dans l'espoir d'associer à la discussion des cercles aussi larges que possible. Car la réponse valable, c'est-à-dire celle qui permettra de prendre une décision, ne peut résulter que d'une multiplicité de points de vue. » Et en conclusion de ce thème : « Le Conseil œcuménique devra se demander pour sa part ce qu'il peut faire pour que l'association fraternelle d'Églises qu'il prétend être devienne encore plus complète et plus agissante [1]. »

Enfin le père Long, représentant le Secrétariat pour l'Unité à Utrecht, adressa quelques remarques au Comité central. Il releva notamment la réaffirmation de la déclaration du « Comité des Directives », selon laquelle le Conseil œcuménique est une communauté fraternelle d'Églises, « qui ne porte pas de jugement sur le droit d'une Église à parler au nom de ses membres ». Il signifiait par là que la responsabilité dernière en matière œcuménique appartenait aux Églises intéressées (sous-entendu : à elles seules) [2].

La cinquième assemblée générale du Conseil œcuménique dans le *Kenyatta Conference Center* à Nairobi de fin novembre au début décembre 1975 clôture d'une certaine manière les développements esquissés ici. Le bateau du Groupe mixte de Travail, qui avait pris l'eau lors de l'échec du *membership* et qui s'était trouvé en cale sèche, peut à partir de Nairobi reprendre le large sans avoir subi les restructurations radicales dont il avait été question au plus fort de la crise [3]. La résolution officielle de Nairobi, approuvée à l'unanimité de l'assemblée, en fait foi.

---

1. Rapport du pasteur Vischer sur le Groupe mixte de Travail entre l'Église catholique et le Conseil œcuménique, *La Documentation catholique* 69 (1972) p. 777-780, en particulier p. 780.

2. E. LANNE écrivait dans sa chronique à cet égard : « C'était répondre discrètement, nous semble-t-il, aux critiques concernant la réserve prudente de Rome et son apparente lenteur à prendre position dans la question du *membership*, à l'encontre des initiatives et des pressions éventuelles de personnes qui agissent sous leur seule responsabilité », *Irénikon* 45 (1972) p. 499.

3. Encore une fois, la question de l'adhésion éventuelle de l'Église

Après avoir rappelé que la question de la candidature de
l'Église catholique avait déjà été soulevée à l'assemblée
générale à Uppsala, le texte constate que l'Église catholique
ne déposera pas une demande dans l'immédiat : « Néanmoins, l'assemblée accepte avec plaisir de collaborer avec
l'Église catholique romaine selon les modes de coopération
établis à l'époque du concile Vatican II et développés depuis
lors. Elle reste convaincue, toutefois, que l'unité de l'Église
peut être amenée à progresser de manière visible par l'action
concertée de toutes les Églises participant à une communauté œcuménique structurée. Le Conseil œcuménique des
Églises offre un exemple de ce genre de communauté. En
conséquence, l'assemblée attend avec impatience le jour où
il sera possible à l'Église catholique romaine de devenir
membre du Conseil œcuménique [1]. »

Le IVe Rapport officiel du Groupe mixte de Travail,
incorporé dans le volume déjà cité, *Briser les barrières*,
reprend, dans sa deuxième partie, la question de la candidature de l'Église catholique. Alors qu'en 1970-1972 il était
admis communément qu'aucun obstacle d'ordre théologique n'empêchait une adhésion de Rome au Conseil
œcuménique, le document du Groupe mixte de Travail en
1975 tient un autre langage, là où on peut lire : « Il ne fait
aucun doute que l'Église catholique romaine pourrait
accepter la Base du Conseil œcuménique des Églises, mais
il existe des facteurs, *dont certains ont un fondement*

---

catholique ne s'est pas trouvée en tête de l'ordre du jour d'une assemblée monstre, dont les points chauds étaient autrement actuels : entre
autres le programme anti-racisme, le manifeste des Jeunes d'Arusha,
l'affaire du moratoire des Églises africaines, les initiatives féministes ;
voir le « rapport officiel » rédigé par Marcel Henriet, paru sous le titre
Briser les barrières-Nairobi 1975, Paris, 1976 ; ce volume, qui compte
520 pages, contient également le quatrième rapport officiel du Groupe
mixte de Travail.
1. Voir *Briser les barrières*, rapport officiel de Nairobi 1975 (rédaction M. HENRIET), Paris, 1976, p. 320. Il n'est pas sans intérêt de remarquer qu'une version antérieure et moins affirmative de cette résolution
fut amendée à la demande du pasteur Minns et avec l'appui du pasteur
R. McAfee Brown : on y a introduit « attend avec impatience » (*ibid.*,
p. 318).

théologique, qui à l'heure actuelle militent contre l'adhésion catholique romaine en tant qu'expression visible des relations entre l'Église catholique romaine et le Conseil œcuménique des Églises. Dans une beaucoup plus large mesure que d'autres Églises, l'Église catholique romaine voit sa constitution de communauté universelle dotée d'une mission et de *structures universelles* comme un élément essentiel de son identité. La qualité de membre du Conseil pourrait poser de réels *problèmes pastoraux* à de nombreux catholiques romains du fait que la décision d'appartenir à une communauté mondiale d'Églises pourrait facilement être mal comprise. Il y a aussi la manière dont l'*autorité* est considérée dans l'Église catholique romaine, et les moyens par lesquels elle s'exerce [1]. »

Cette « innovation » n'a jamais été explicitée par la suite. Le même passage de ce IVe rapport du Groupe mixte de Travail rappelle d'autre part la conclusion de la réunion du groupe mixte à Windsor en 1973 : pour planifier la collaboration future entre Église catholique romaine et Conseil œcuménique, il était nécessaire d'effectuer une analyse poussée de l'expérience œcuménique vécue au niveau des différentes situations nationales et locales.

C'était reconnaître publiquement que le mouvement œcuménique ne pourrait progresser que par l'engagement des chrétiens au plan local. On espérait donc sortir de l'impasse par une véritable interaction entre le niveau local et le niveau international.

---

1. Quatrième « rapport officiel du Groupe mixte de Travail », accepté par l'assemblée du Conseil œcuménique de novembre- décembre 1975, incorporé dans *Briser les barrières* (rédaction M. HENRIET), Paris, 1976, p. 374. C'est nous qui avons souligné. Voir aussi Secrétariat pour l'Unité des chrétiens, *Service d'information*, n° 30, 1971 (1), p. 21-22.

4

CIRCONSTANCES ET FAIBLESSES

Les développements que nous avons essayé d'esquisser jusqu'ici ne peuvent être évalués correctement si on les considère en dehors de leur contexte général du moment. Nous voulons dire qu'il est nécessaire de prendre en compte les circonstances défavorables du moment et les faiblesses internes des partenaires du dialogue. Nous clôturons ce paragraphe en situant quelques obstacles décisifs.

LES « NON-DITS » DU PASSÉ

Y a-t-il eu certaines questions qui, tout en restant inarticulées, ont pu jeter une ombre sur les relations entre Rome et Genève ?

Il nous paraît qu'un éventuel « renversement des alliances » par rapprochement de l'Église catholique avec les chrétientés orthodoxe, anglicane et vieille-catholique comportait certaines menaces pour la raison d'être du Conseil des Églises de Genève.

Ce renversement a acquis un regain d'actualité à partir du moment où Jean XXIII provoque la surprise générale par l'annonce, en janvier 1959, de la convocation d'un « concile œcuménique » ayant pour but la restauration de l'unité chrétienne. Le terme « œcuménique », ayant diverses significations, contribua au cours d'un premier temps à accréditer le concept d'un concile d'union. Mais, même après la phase préparatoire de Vatican II, il y a encore des voix qui s'élèvent

en faveur de négociations entre les « familles confessionnelles » qui ont en commun une structure de type épiscopal et
une ecclésiologie à base sacramentelle [1].

L'ouverture soudaine de l'Église romaine à un dialogue
avec des Églises sœurs fit naître des espérances, sinon folles
au moins peu réalistes. Au cours d'une concertation fruc-
tueuse des « Rencontres Internationales d'Informateurs
Religieux », que nous avons organisée à Genève en février
1963 en vue de libérer l'information de Vatican II du carcan
du secret conciliaire – projet réalisé en octobre 1963 –, le
Dr Willem A. Visser 't Hooft, secrétaire général du Conseil
œcuménique des Églises, que nous avions invité, attira
l'attention des nombreux participants sur les excès de
l'ivresse de certains observateurs catholiques qui croyaient
que dorénavant le mouvement œcuménique ne serait plus
animé par le Conseil de Genève mais par l'Église de Rome
sur base du concile qui avait débuté. Il s'en prit, en termes
très vifs, au Dr Schmidhüs, rédacteur en chef de la *Herder
Korrespondenz*, revue mensuelle par ailleurs pondérée et
sérieuse. L'auteur de l'éditorial ainsi dénoncé se trouvait
alors parmi les participants [2].

Dès avril 1959, Mgr Chr. Dumont n'avait pas hésité à
poser la question : « Concile d'union ou Concile d'unité ? »,
étant entendu que la proximité de Rome avec l'orthodoxie
était telle que certains ont pu penser « que, du moins en ce
qui concerne ces mêmes Églises orthodoxes, le prochain
concile pourrait être également un "concile d'union" [3] »,

---

1. Déjà avant l'annonce d'un concile pour l'Église catholique,
certaines voix orthodoxes se faisaient entendre dans ce sens : voir le
Pr. B. IOANNIDIS, *L'Église et les Églises*, Chevetogne, 1955, t. II,
p. 387-388 ; voir aussi M.-J. LE GUILLOU, *Mission et Unité*, Paris, 1960,
t. I, citant B. MOUSTAKIS, p. 201-202, et t. II, citant Chr. CONSTANTIDIS,
p. 179-180.
2. Pour plus de détails, voir J. GROOTAERS, « Informelle Strukturen
der Information am Vatikanum II », *Biotope der Hoffnung. Ludwig
Kaufmann zu Ehren*, s/dir. N. KLEIN e.a., p. 275-278. L'article dénoncé
par Visser 't Hooft avait paru dans *Herder Korrespondenz* 17 (décembre
1962), p. 113-115.
3. C. J. DUMONT, « Concile d'union ou Concile d'unité ? », *Informations catholiques internationales*, n° 93 (1er avril 1959) p. 1-2 et
p. 29-31. Il convient de relire dans ce contexte l'avis négatif que le père

sans exclure pour autant la Fédération mondiale des Églises réformées.

Dans une prise de position du père (plus tard métropolite) Paul Verghese, de l'Église orthodoxe orientale de l'Inde, parue peu de temps après la clôture de Vatican II, celui qui à l'époque était proche collaborateur du Conseil œcuménique posait quelques questions qui alors sont restées sans réponse : « Dans quelle mesure le dialogue entre l'Église catholique et le Conseil œcuménique sur la nature de l'unité de l'Église peut-il dès lors être utile ? Ne serait-il pas beaucoup plus éclairant que le dialogue soit engagé au niveau de plusieurs groupes ? » (notre traduction de l'anglais).

L'auteur propose des dialogues de l'Église catholique avec différents « groupements » : 1. avec les Églises non épiscopales, 2. avec des Églises épiscopales occidentales, soit anglicane, soit vieille-catholique, 3. avec les Églises orthodoxes (chalcédoniennes et préchalcédoniennes [1]).

Il paraît clair que les critères de l'auteur pour distinguer ces trois catégories sont d'ordre ecclésiologique, selon le degré d'« épiscopalisme » de chacune d'elles. Il est significatif de voir un représentant d'une Église non romaine et proche du Conseil œcuménique comme le père Verghese faire, lui aussi, référence à cette voie.

Dumont rédigera en décembre 1970 à l'intention de Paul VI, que nous avons déjà analysé longuement dans un paragraphe précédent (« Un avis d'un poids particulier », chapitre II).

1. Paul VERGHESE, « Will dialogue do ? », *The Ecumenical Review* 18 (janvier 1966). À l'occasion d'une concertation des Églises orthodoxes membres du Conseil œcuménique, tenue en 1965 à Addis-Abeba, il fut constaté que les relations avec l'Église catholique ne pouvaient pas être menées par l'intermédiaire du Conseil œcuménique. Quelques années plus tard, le métropolite Paulus Gregorios (Verghese) développa le plan d'une nouvelle structure œcuménique pour coordonner les Églises byzantines orthodoxes et l'Église catholique sous l'autorité de délégués des épiscopats respectifs. Il écrivait en 1977 : « Le Conseil œcuménique a été utile par le passé pour développer les relations entre les orthodoxes orientaux et les orthodoxes byzantins. Mais c'est maintenant une étape dépassée. Le développement de toutes les relations devra s'effectuer désormais de manière bilatérale et au niveau officiel entre ces deux familles d'Église. Pour ce faire, le Conseil œcuménique ne peut être que d'une utilité limitée. » Voir P. Gregorios VERGHESE, « Priorités œcuméniques », *Irénikon* 50 (1977) p. 204-209.

Lorsque le chanoine anglican Bernard Pawley, délégué permanent de l'Église d'Angleterre établi à Rome, dès la phase préparatoire de Vatican II, a voulu informer un public non spécialisé de l'événement conciliaire, il a commencé par souligner la signification des relations fraternelles établies immédiatement entre le pape Jean et l'archevêque Fisher [1].

Après sa mise à la retraite en tant qu'archevêque de Canterbury, Lord Fisher fit sensation en publiant en février 1963, à l'occasion du centenaire de *Church Times*, un plan global – déjà cité ici précédemment – en vue de réorganiser le mouvement œcuménique [2]. Ce projet comprenait notamment la suppression du Conseil œcuménique dans ses fonctions principales et son remplacement par une nouvelle institution, le *World Inter-Church Service*, dont seraient membres l'Église catholique romaine et les principales grandes confessions à structure épiscopale.

On peut ainsi constater que le concile Vatican II a incité certains œcuménistes à imaginer de nouvelles « constructions » les plus libres quant à l'avenir du remembrement de l'unité chrétienne. Tout rapprochement institutionnel de Rome avec les grandes « familles confessionnelles » – plus tard on dira « communions mondiales » – ayant conservé une structure épiscopale et sacramentelle, pouvait avoir alors des conséquences implicites et signifier que l'unité allait pouvoir se chercher *en dehors du Conseil œcuménique.*

À l'époque, le milieu de Genève n'hésite pas à faire valoir ses objections contre des projets jugés utopiques : au Conseil œcuménique on invoque notamment l'opposition des jeunes Églises contre un renforcement des familles confessionnelles, considérées par elles comme trop européennes.

Cependant, la vérité oblige à remarquer qu'une des principales observations de l'archevêque Fisher s'est trouvée

---

1. Bernard PAWLEY, *Looking at the Vatican Council*, Londres, 1962, p. 15-17.

2. Lord FISHER OF LAMBETH, « Forecasting the Future of the Ecumenical Movement », *Church Times*, 8 février 1963, p. 40-41.

vérifiée par la suite ; là où il objectait : « Les différences considérables qui existent entre le Conseil et l'Église de Rome pourraient constituer une gêne constante entre les deux parties et vicier toute tentative de coopération » (notre traduction de l'anglais). Ce sera, en 1971-1972, le point de vue défendu par le Dr E. Blake et d'autres dirigeants de Genève.

Mais il faut aussi souligner ici le fait qu'une fois que le Secrétariat pour l'Unité à Rome a pu vraiment fonctionner sous la direction du cardinal Bea, cet organisme romain a toujours refusé de s'engager dans pareille voie qui aurait abouti à l'exclusion du Conseil de Genève.

Dès que le cardinal Bea entame ses activités, il prend l'initiative de rencontrer secrètement et personnellement le secrétaire général du Conseil œcuménique, avec lequel il se lie d'amitié [1].

Il faut rappeler que, dès janvier 1960, Mgr Willebrands, voulant clore « l'incident de Rhodes », donnait l'assurance formelle qu'il était exclu que l'Église romaine cherche à détacher des Églises orthodoxes du Conseil œcuménique. Il ajoutait : « La crainte, en tout cas, que Rome pourrait limiter son activité œcuménique aux seuls orthodoxes est dénuée de tout fondement [2]. »

Alors que la procédure d'une adhésion éventuelle de Rome au Conseil de Genève était en cours, le père Emmanuel Lanne, qui a toujours été associé de très près aux activités du Secrétariat pour l'Unité, rejetait, lui aussi, tout

---

1. Avant la première visite officielle du cardinal Bea en 1965 à Genève, nous comptons (comme nous l'avons déjà indiqué) quatre rencontres plus ou moins discrètes avec le Dr Visser 't Hooft : voir notamment W. A. VISSER 'T HOOFT, *Memoirs*, Londres, 1973, p. 328-329 et J. G. M. WILLEBRANDS, « Zur Einführung », dans A. BEA & W. A. VISSER 'T HOOFT, *Friede zwischen Christen*, Fribourg-en-Brisgau, 1966, p. 14-17. Témoignant de son amitié personnelle pour le cardinal Bea, le pasteur Visser 't Hooft écrit : « Celle-ci (une rencontre personnelle) ne comportait pas de difficultés, car le cardinal Bea était une de ces rares personnes qui, même lorsque vous les rencontrez pour la première fois, vous donnent l'impression que vous les connaissez depuis de longues années » (notre traduction de l'anglais, p. 329).
2. J. G. M. WILLEBRANDS, « La rencontre de Rhodes », *Vers l'Unité Chrétienne* 13, n° 1-2 (janvier-février 1960) p. 4.

« mouvement parallèle » pour le rapprochement de l'Église catholique avec les Églises d'Orient : « En toute hypothèse, il ne pourra jamais s'agir de créer un organisme concurrentiel au Conseil œcuménique, qui coaliserait les traditions catholiques romaines et orthodoxes [1]. »

CRISE DE L'ŒCUMÉNISME INSTITUTIONNEL ET DES ÉGLISES

En nous concentrant précédemment sur la seule question, importante il est vrai, de la candidature de l'Église catholique pour entrer au Conseil œcuménique, nous ne pouvons pas perdre de vue que la collaboration Rome-Genève a cependant, à la même époque, pu s'étendre et s'approfondir. Nous n'en donnerons que deux exemples survenus en 1971.

La conférence triennale de *Faith and Order* d'août 1971 a eu à cet égard une signification particulière, non seulement du fait que les neuf catholiques membres à part entière qui y étaient délégués par l'Église catholique représentaient une participation « devenue chose naturelle », mais aussi parce que pour la première fois de son existence la Commission recevait à Heverlee près de Louvain l'hospitalité d'une maison catholique [2].

---

1. E. LANNE, « Avenir de l'œcuménisme : Conseil œcuménique et Rome », *Irénikon* 44 (1971) p. 329. Il faut aussi rappeler ici la réaction spontanée du père Yves Congar dans *Mon journal du Concile* (Paris, Éd. du Cerf, 2002) en conversation avec des amis du Secrétariat : « Car nous sommes tous d'accord pour tenir qu'il ne faut couper ni les orthodoxes, ni les Anglicans du Conseil œcuménique des Églises » (t. II, p. 22).

2. Voir le volume avec commentaires et documents *Conférence mondiale de Foi et Constitution, Louvain 2-12 août 1971*, co-édition Conseil œcuménique et la revue *Istina* 16 (1971) n° 3 (juillet-septembre). Le père Dupuy y souligne « l'intensification des échanges et de la collaboration » (p. 261) et le pasteur Vischer écrit : « La participation catholique romaine n'est plus en fait considérée comme une innovation extraordinaire, mais ressentie au contraire comme une chose naturelle » (p. 260).

Un autre événement de la même année, qui semble avoir moins retenu l'attention, est la convocation à Genève (juillet 1971) du premier « Colloque mondial sur les Conseils chrétiens », appelé à contredire l'image d'un mouvement œcuménique qui serait un club fermé. À cette occasion on souligne l'accroissement continu de la participation catholique romaine à l'action des Conseils chrétiens et Conseils d'Églises *au plan local*. Le colloque avec ses 106 délégués a la conviction que ces développements de l'œcuménisme local est de nature à influencer de manière favorable la procédure du *membership* de l'Église catholique [1].

Ces phénomènes de croissance œcuménique vont de pair et sont souvent dépassés par les circonstances défavorables qui ont hypothéqué toute l'évolution de l'affaire du *membership*.

Ainsi il convient d'élargir le champ de vision car les documents d'archives sur lesquels nous nous sommes efforcé de prendre appui au sujet du *membership* demandent évidemment à être *situés* dans un contexte global.

À cet égard les circonstances défavorables n'ont vraiment pas manqué. C'est à plus d'un titre que l'assemblée du Conseil œcuménique à Uppsala (été 1968) a pu être considérée comme un tournant. C'est l'heure d'une relève : la génération des barthiens de l'époque fondatrice est dépassée par une nouvelle vague pour laquelle l'engagement social est souvent prioritaire. À l'avant-plan apparaît la menace de ceux qui contestent l'œcuménisme institutionnel. Les retombées du grand rassemblement de *Church and Society* de juillet 1966 contribuent à ce changement. Le phénomène d'une « troisième confession » animée par les jeunes commence à prendre le devant de la scène [2].

---

1. Bulletins SOEPI, 38ᵉ année, numéro du mois d'avril 1971, p. 4-7. Notons ici que le Groupe mixte de Travail réuni à Rome en juin 1972 produira plusieurs rapports concernant « la collaboration œcuménique au plan territorial, national et local ». Une note de synthèse fera même l'objet d'une discussion.

2. Par « troisième confession » on entendait à l'époque la tendance d'un *œcuménisme séculier* qui cherchait à rassembler les chrétiens des différentes confessions dans un mouvement commun vers une nouvelle société. Voir *Herder-Korrespondenz* 25 (mars 1971) p. 108-109.

Si l'œcuménisme institutionnel du Conseil œcuménique est contesté à Uppsala, du côté de l'Église catholique les phénomènes de crise ne cessent de proliférer. L'encyclique *Humanae vitae*, dont la procédure est dénoncée comme anticollégiale, déclenche une tempête de réactions contestataires – dont plusieurs conférences épiscopales ne sont pas absentes. Dans les pays d'Europe occidentale, la période postconciliaire met la périphérie en ébullition et contribue au développement d'un *œcuménisme sauvage*, avec des actions sociales radicalisées et la diffusion d'intercommunions publiques [1].

Toute cette agitation est montée en épingle et invoquée par la destra curiale *afin de compromettre la dynamique positive de l'après-concile et de freiner, si possible, le renouveau œcuménique* [2].

D'autre part, Paul VI, un intellectuel de haut niveau et d'une grande sensibilité, apparaît de plus en plus comme un « pape alarmé ». Ses mises en garde se succèdent au début de 1970, une première contre « le mouvement de critique corrosive envers l'Église institutionnelle », diffusée spécialement chez les jeunes, une autre contre les conclusions des enquêtes sociologiques alors qu'il appartient aux évêques d'interpréter la foi de l'Église. Plus tard, Paul VI dénonce les incertitudes morale et théologique qui règnent dans l'Église, et prône des remèdes [3].

D'autre part, on verra un essai de panorama chez Jan GROOTAERS, « Crise et avenir de l'œcuménisme », *Irénikon* 44 (1971) p. 159-190.

1. Sans faire un inventaire, il faut rappeler la contestation du clergé catholique, avec ses conférences internationales à Chur (1969) et à Rome même (1971), les interviews de Suenens, « cardinal contestataire » (de mai 1969 à l'automne 1970), le manifeste des plus grands théologiens contre « la stagnation dans l'Église catholique » (mars 1972), les développements des *gruppi spontanei* en Italie, d'une *underground Church* aux USA et de *communautés de base* en Amérique latine (1970-1972).

2. Une contre-offensive à nuance conservatrice prend naissance dans divers pays occidentaux et va se propager, y compris dans quelques milieux œcuméniques : voir, à cet égard, la publication de *La Crise de mai*, de M. J. LE GUILLOU, O. CLÉMENT et J. BOSC, dans la brochure intitulée *Évangile et Révolution*, Paris, 1968, p. 27 et suiv.

3. Voir notamment *Informations catholiques internationales*, n° 376,

Les réactions autoritaires de Rome ne manquent pas à l'époque, tels le *motu proprio* de Paul VI réglant le statut des nonciatures aux dépens de la collégialité épiscopale (juin 1969) (ceci à la veille du synode des évêques à Rome consacré précisément à l'application de la collégialité épiscopale), la suspension par voie d'autorité du Concile pastoral aux Pays-Bas (1970-1972) et, par la suite, une sorte de « démembrement » de la conférence des évêques de ce pays.

Absence de structures adaptées.

Au cours des évaluations du rapport *membership* de Naples, on a entendu, à plusieurs reprises, des voix catholiques qui demandaient avec insistance que la seconde des trois solutions possibles soit davantage examinée, à savoir celle qui proposait « la formation d'une nouvelle association différemment constituée », appelée parfois « une nouvelle association fraternelle d'Églises » (« a new fellowship of Churches »).

Cette exigence correspondait au diagnostic qui aurait été émis auparavant par plusieurs auteurs et qui le serait encore. Lord Fisher, archevêque de Canterbury, croyait que seule une restructuration radicale pouvait rendre l'adhésion de l'Église catholique possible. Un quart de siècle plus tard, le pasteur Visser 't Hooft ne voyait pas comment réaliser le *membership* de l'Église catholique : « à moins que, soit

---

15 janvier 1971, p. 15-16 ; *La Documentation catholique* 69 (1972) p. 803-804. Son homélie du 29 juin 1972 est entièrement consacrée à « l'état actuel d'incertitude dans l'Église », *La Documentation catholique* 69 (1972) p. 657-659. G. Zizola intitule sa chronique : « Il n'est pas facile d'être pape par temps de crise », *Informations catholiques internationales*, n° 418, 15 octobre 1972, p. 6-9.

l'Église catholique, soit le Conseil œcuménique effectuent des changements radicaux dans leurs propres structures » [1].

Nous savons que la solution d'une « nouvelle association fraternelle d'Églises » avait été sérieusement examinée au Comité central du Conseil œcuménique (décembre 1969) et puis définitivement repoussée.

L'opposition du délégué du patriarcat de Moscou semble alors avoir été décisive : à mots couverts on fit entendre qu'un changement des structures existantes du Conseil œcuménique comprenait le risque sérieux de voir le gouvernement soviétique modifier son ouverture actuelle à l'égard de Genève. Il était frappant de voir qu'au contraire les orthodoxes n'appartenant pas à l'Est européen se montraient favorables à une restructuration fondamentale du Conseil œcuménique [2].

On peut imaginer que si ces derniers avaient eu gain de cause et si la candidature à l'adhésion de l'Église catholique avait pu se présenter devant un Conseil œcuménique ayant été restructuré de manière fondamentale, le dénouement de cette phase historique eût pu être différente.

Cherchant à analyser des événements qui se sont déroulés il y a près de quarante ans, il est difficile à l'historien

---

1. W.A. VISSER 'T HOOFT, « Le Conseil œcuménique et l'Église catholique », *La Documentation catholique* 83 (1985) p. 128.

2. Le père Paul Verghese (Église syriaque de l'Inde), le professeur Jean Meyendorff (Église orthodoxe russe d'Amérique), le métropolite Myra (Patriarcat œcuménique de Constantinople) étaient favorables à un débat fondamental, tandis que l'archiprêtre V. Borovoy (Église orthodoxe russe en URSS) se déclara opposé à tout changement radical : « Il y aurait de sérieuses questions au sein des Églises orthodoxes si la nature de "fellowship" à laquelle elles ont adhéré change substantiellement » (notre traduction de l'anglais). Ici l'argument à caractère politique n'est pas explicité pour des raisons évidentes. Quant au Dr L. Vischer, porte-parole de Genève, apportant son appui au seul père Borovoy, il répliqua « que, du point de vue du Conseil œcuménique, il ne voyait pas pour l'instant de meilleure structure que l'actuelle, qui serait à même de préserver la *koinonia* entre les Églises déjà divisées, et qu'il insisterait donc pour que l'idée fondamentale du Conseil œcuménique ne soit pas modifiée à ce moment-ci » (notre traduction de l'anglais). Voir *Central Committee of the World Concil of Churches. Minutes and Reports of the Twenty-Third Meeting*, Canterbury, Grande-Bretagne, 12-22 août 1969, Genève, 1969, p. 47-49.

d'ignorer la nouvelle actualité du problème évoqué. Il nous est difficile de passer sous silence la crise qui – comme une des retombées de la chute des régimes communistes – a éclaté au grand jour à la VIIIᵉ assemblée générale du Conseil œcuménique à Harare en décembre 1998, lorsque les représentants de plusieurs Églises orthodoxes importantes commençaient à mettre à exécution leurs menaces de quitter le Conseil de Genève[1].

Il a fallu de longues négociations, ainsi que la patience et la flexibilité des instances engagées, pour aboutir en 2002 à des résultats concrets qui laissent prévoir aujourd'hui une mutation en profondeur des structures et des procédures du Conseil œcuménique des Églises[2].

La dernière initiative, au moment où nous écrivons, consista à convoquer une consultation en vue d'une « reconfiguration du mouvement œcuménique », à l'initiative du Dr K. Raiser, et destinée à être soumise au Comité central de 2005. Cette première consultation à échelle restreinte a eu lieu à Antélias (Liban) en novembre 2003. L'avenir devra nous dire quel destin sera réservé à cette initiative fondamentale[3].

---

1. Voir notamment dans le rapport officiel de l'assemblée de Harare publié sous le titre *Together on the Way*, éd. D. KESSLER, Genève, 1999, en particulier le chapitre 4 « World Council of Churches membership and relationships » (e.a. par. 3 et 5 : proposal for a Forum of Christian Churches and Ecumenical Organisations), p. 151-176.

2. Qu'il nous suffise ici de faire référence à deux publications récentes, que le lecteur intéressé pourra consulter utilement : 1) Central Committee World Council of Churches, *Minutes of the Fifty-Second Meeting*, Genève 26 août-3 septembre 2002, Genève, 2003, 214 p. ; 2) « The final report of the Special Commission on Orthodox participation in the World Council of Churches », *The Ecumenical Review* (ed. Konrad Raiser), vol. 55, n° 1, January 2003, p. 1-75. En juin 2004 est annoncée une prochaine réunion de la Commission spéciale pour l'orthodoxie à Minsk (Biélorussie) : à l'ordre du jour on trouve la mise en œuvre de la méthode du consensus, en application du rapport du Comité central de l'été 2002. Pour une introduction à la problématique orthodoxe, on consultera aussi *Orthodox Reflections on the way to Harare* (The report of the World Council of Churches Orthodox Pre-Assembly Meeting and selected resource material), éd. Th. Fitzgerald & P. Bouteneff, Genève, 1998, 178 p.

3. Pour de plus amples informations, voir « Reconfiguration du

Quoi qu'il en soit, après la réunion de 1969 à Canterbury, les représentants du Conseil œcuménique qui siégeaient dans le Groupe mixte de Travail ne reviennent plus vraiment sur cette possibilité d'une nouvelle association d'Églises différemment constituée.

Dans la version finale du rapport *membership*, les avantages et les inconvénients d'une association fondée sur les familles confessionnelles sont mis en balance : il semble bien que les inconvénients ont un poids plus considérable[1].

Par ailleurs, on peut supposer que la loi de la pesanteur qui émane généralement des institutions bien établies, a pu encourager l'inertie de certains dirigeants de Genève.

Selon dom E. Lanne, qui apporte un témoignage privilégié, une véritable mise en question des structures du Conseil œcuménique aurait pu ouvrir les portes du Conseil à la candidature de Rome, mais cette mise en question est restée absente[2] !

Quant à la signification réelle du grand discours du père R. Tucci, qui, à l'assemblée d'Uppsala a « mis le feu aux poudres », nous tenons de lui-même que le motif principal de son intervention n'était pas de mettre tout de suite l'adhésion de Rome à l'ordre du jour, mais bien de faire entendre que *la restructuration projetée du Conseil œcuménique devrait dûment tenir compte de la possibilité d'une candidature catholique romaine dans l'avenir*.

Voici ce que le père Roberto Tucci a écrit dans la lettre personnelle qu'il a bien voulu nous adresser en date du

---

mouvement œcuménique. Colloque des 17-20 novembre 2003 », *Chrétiens en marche*, n° 80, octobre-décembre 2003, p. 3.

1. Dans la version finale du rapport commun, la rubrique des inconvénients est devenue plus étoffée que précédemment. Parmi ces inconvénients énumérés, on trouve notamment : les différences qui opposent les familles entre elles, le caractère non représentatif de certaines familles mondiales, le risque qu'un nouveau *fellowship* ait pour effet de geler les oppositions…

2. E. LANNE, « L'assemblée de Nairobi et l'avenir du mouvement œcuménique », *La Foi et le Temps*, 1976, p. 58-79, particulièrement p. 78. Il convient de souligner ici que, déjà au Groupe mixte de Travail de Naples (mai 1970), le cardinal Willebrands avait attiré l'attention sur la nécessité d'obtenir des structures adéquates et que ce besoin n'avait pas été suffisamment pris en compte.

26 janvier 1989 : « Pour ce qui regarde mon intervention à Uppsala, en 1968, je voudrais souligner que son but principal n'était pas de proposer l'entrée de notre Église dans le Conseil œcuménique des Églises, mais plutôt de demander que, dans la restructuration du Conseil œcuménique envisagée en ce moment-là, on laisse une porte ouverte à cette possibilité. En concluant, je pense que les dirigeants du Conseil œcuménique avaient autant peur de l'éventuelle entrée de l'Église catholique que celle-ci d'en devenir membre. En fait, l'étude d'une possible restructuration, permettant à l'Église catholique de participer, n'a jamais été poussée très loin[1]. » C'est un des principaux acteurs de « l'ordre du jour inachevé » qui témoigne ici de sa déception.

Cependant, cette loi de la pesanteur des institutions bien établies, que nous avons cru déceler à Genève, a influencé à la même époque certains cercles influents dans la curie romaine.

On a eu généralement l'impression que la réforme de la curie romaine, qui fut discutée pendant la troisième période (1964) de Vatican II et puis entamée à la fin du Concile, fut rapidement en perte de vitesse notamment par crainte du mouvement contestataire dans la périphérie dont nous avons déjà esquissé en quelques traits rapides les retombées néfastes dans le milieu romain.

Le Secrétariat pour l'Unité, qui au début de Vatican II avait été le fer de lance du renouveau institutionnel à Rome, va perdre une part de son autorité à la disparition de la grande figure du cardinal A. Bea (1969) et une part de son homogénéité, entre autres par l'influence du père Jérôme Hamer[2]. La compétence du Secrétariat va diminuer sous l'influence de la Secrétairerie d'État, dont la centralisation a repris vigueur[3].

---

1. Cette même lettre, qui traite d'autres aspects très significatifs, est publiée *in extenso* dans l'ANNEXE F, à la fin de cet ouvrage.

2. La diminution de l'autorité du Secrétariat a été révélée notamment à l'occasion de la procédure curiale qui a abouti au motu proprio *Matrimonia mixta* de mars 1970 ; voir *La Documentation catholique* 67 (1970) p. 452-455.

3. Au cours des mêmes années on assiste au recul progressif du principe de la « collégialité épiscopale », pourtant promulgué au concile

La relève de la garde.

Ce fut un moment très délicat lorsqu'à Genève il a fallu préparer la succession du Dr Willem A. Visser 't Hooft, arrivé à l'âge de la retraite. Celle-ci avait déjà été retardée d'un an pour que le secrétaire général soit encore en fonction à la clôture de Vatican II. La désignation du Dr Eugène Blake, en 1966, ne se fit pas sans difficulté.

Par un concours de circonstances, la candidature du Reverend Patrick Rodgers, théologien anglican bien connu, préparée par la commission officielle ad hoc, fut rendue publique de façon prématurée dans la presse, prématurée parce que non encore agréée par le staff de Genève. Certains ont eu l'impression que celui-ci n'était pas disposé à accepter un représentant de la mouvance *High Church* à la tête du Conseil œcuménique. À la suite de cet incident, cette candidature fut annulée de manière assez radicale par le Comité central, qui suivit cette publication intempestive [1].

Malgré ses grandes qualités, notamment d'administrateur, le Dr E. Blake, nouveau secrétaire général, n'avait pas la même stature ni la même autorité que son prédécesseur prestigieux. À son départ en 1972, certains ont parlé d'un « homme pragmatique sans charisme théologique [2] ».

Dans la chronique de la revue *Irénikon* [3], dom Emmanuel Lanne n'a pas manqué de souligner les mérites de son

---

(voir les conclusions du synode d'octobre 1969) et on perçoit que le projet d'un synode délibératif est abandonné.

1. La nouvelle en question avait paru dans *Le Monde*, signée par Henri Fesquet. S'il nous est permis de joindre ici un souvenir à caractère personnel, nous nous rappelons qu'à l'époque, nous trouvant à une session d'études à l'Institut œcuménique de Bossey (près de Genève), le pasteur Philippe Maury, bras droit du Dr Visser 't Hooft, est venu nous y trouver pour nous présenter ses vives doléances à propos de l'indiscrétion de la presse dans l'affaire de la succession du secrétaire général. Nous avons eu l'impression qu'une certaine panique semblait avoir régné au Secrétariat général du Conseil. Mais, en ce qui nous concerne, nous n'avions évidemment aucune influence sur la plume de notre ami Fesquet !

2. Voir la chronique de J. P. MICHAEL, « Pragmatiker ohne theologisches Charisma », *Herder-Korrespondenz*, août 1972, p. 381-384.

3. Voir *Irénikon* 44 (1971) p. 52.

passage à Genève : « Le bref passage du Dr Blake aura marqué toutefois une étape importante au Conseil œcuménique en un moment particulièrement délicat de la vie des Églises. Faire face à la contestation, comprendre la validité des requêtes légitimes sans transiger sur l'essentiel, prendre position avec courage chrétien (comme il vient de le faire encore tout récemment pour la paix au Viêt-Nam) en matière politique alors que sa qualité de citoyen américain lui rendait cette tâche plus difficile qu'à d'autres, progresser audacieusement dans la collaboration avec l'Église catholique sans écarter pour des raisons de principes aucune solution possible même si elle s'avérait onéreuse, repenser prudemment mais avec décision les structures du Conseil œcuménique en les orientant vers l'avenir, tels ne seront pas les moindres mérites de la charge qu'il a assumée pour un délai très court en assurant avec modestie une succession prestigieuse autant que délicate. »

Le « pragmatiste » Blake a peut-être eu trop peu conscience du fait que la candidature possible de Rome n'était pas seulement une question d'organisation mais présentait aussi des aspects théologiques de grande importance.

Du côté romain, la succession de la grande figure du cardinal Bea posait une difficulté qui, sous certains aspects, fut comparable.

À la *Plenaria* de novembre 1969, le cardinal Jan Willebrands avait reconnu les grandes difficultés à poursuivre le travail commencé : « La situation œcuménique a changé profondément après dix ans. Le décès du cardinal Bea marque en même temps la conclusion d'une période de l'histoire du mouvement œcuménique dans l'Église [1]. »

Après le décès du vieux cardinal allemand, il y a eu d'abord une transition d'incertitude. Ce n'est qu'en avril 1969 que le cardinal Willebrands est autorisé à reprendre la charge vacante [2].

---

1. *Prolusio* de Son Ém. le cardinal J. Willebrands, Secrétariat pour l'Unité des chrétiens, *Service d'information*, n° 9, février 1970, p. 5.

2. Au Comité central d'avril 1969 à Canterbury, le Dr E. Blake reconnaît que, pendant cette transition, il a pu percevoir à Rome des hésitations qui lui firent « craindre le pire » : la nomination du

Le décès du cardinal-fondateur allait entraîner fatale-
ment un affaiblissement institutionnel du Secrétariat pour
l'Unité, l'autorité qu'il avait exercée à l'égard des services
de la Curie romaine ne pouvant que partiellement passer à
son successeur.

Sans pousser trop loin le parallélisme entre Genève et
Rome, il faut reconnaître qu'au moment où la question du
membership venait réellement à l'ordre du jour, les dirigeants de part et d'autre se trouvaient dans une position
affaiblie.

Une procédure incertaine.

L'incertitude que nous voudrions évoquer ici concerne
entre autres deux aspects de la procédure qui ont gêné particulièrement les représentants de l'Église catholique au cours
des pourparlers.

Dans son fascicule n° 23 de mai 1970, le périodique
IDOC-International, « revue interconfessionnelle de documentation », avec siège rédactionnel à Rome, publiait un
document du Groupe mixte de Travail à l'insu de ses
auteurs, sous le titre « Rapport du groupe d'étude, nommé
par le Groupe mixte de Travail entre l'Église catholique et
le Conseil œcuménique, en vue d'explorer les possibilités
pour l'Église catholique de devenir membre du Conseil
œcuménique ». Ce texte, présenté avec une signification
qu'il n'avait pas, était un document de travail ne correspon-
dant pas par ailleurs au texte étudié par le Comité des Six à
sa réunion du 11 mars 1970 au château de Bossey.

Cette publication intempestive, répercutée dans le journal
Le Monde, provoqua un grand malaise dans les milieux
concernés, principalement à Rome où le secret de négociations en cours est considéré comme indispensable à l'exercice du pouvoir. C'est à tort que l'indiscrétion maladroite a
parfois été imputée à la négligence de dirigeants genevois.
En réalité, le texte publié indûment par le Centre IDOC

---

cardinal Willebrands rétablissait finalement la sérénité parmi les amis de
Genève.

provenait des archives du Conseil œcuménique, où il avait été déposé de manière apparemment prématurée.

Il se serait alors agi d'une négligence du Dr Ans J. van der Bent, bibliothécaire du Conseil œcuménique, qui avait la même nationalité (hollandaise) que le Dr Leo Alting von Geusau, secrétaire général de l'IDOC. La chose fit d'autant plus scandale à Rome qu'aux yeux de la Curie le Centre IDOC était un lieu peu fréquentable, animé par quelques ex-prêtres sécularisés et en outre considéré comme un des principaux foyers, à Rome même, de la contestation à l'intérieur de l'Église catholique, Centre qui a pu sembler à tort recevoir un certain appui de Genève car, à Genève aussi, le Dr Visser 't Hooft regrettait qu'Albert van den Heuvel, directeur d'un département du Conseil œcuménique, ait accepté la vice-présidence de l'IDOC et qu'il se soit permis de critiquer en public à Rome l'autorité de Paul VI au lendemain de la publication de l'encyclique *Humanae vitae* [1].

Quoi qu'il en soit, il est certain que cette indiscrétion a mis les interlocuteurs catholiques qui prônaient l'adhésion de l'Église catholique dans l'embarras : *l'incident a contribué à les déforcer dans le débat en cours, qui déjà en soi était difficile* [2].

---

1. Voir notre conversation avec le Dr W. Visser 't Hooft en octobre 1968, dans notre *Diarium*, cahier n° 72. Les déclarations critiques du pasteur van den Heuvel faites à Rome ont retenu l'attention du *Monde* du 20 septembre 1968 et du *Figaro* du 19 septembre 1968. Aux yeux du Dr Visser 't Hooft, pareilles déclarations d'un représentant du Conseil œcuménique étaient entièrement déplacées.

2. Déforcer a le sens d'affaiblir.

Quant au secrétaire général de l'IDOC, il provoqua la déception de certains amis en ne publiant pas le rectificatif que l'on attendait de lui, mais il adressa une note personnelle à son comité de rédaction, dont le texte a été repris dans le compte rendu du Groupe mixte de Travail : « Le Groupe mixte de Travail était au courant de la Note adressée au Conseil de rédaction de l'édition internationale de l'IDOC reprise ci-dessous :

Note au Conseil de rédaction.

Dans notre dernier numéro, nous avons publié un texte concernant le *membership* de l'Église catholique au sein du Conseil œcuménique des Églises. En raison d'une série de mécompréhensions et d'une erreur de notre part, nous avons présenté ce document comme un rapport du Groupe mixte de Travail réunissant l'Église catholique et le Conseil œcuménique. Ce n'est pas le cas. Ce texte n'a jamais été discuté par le

L'urgence du calendrier, parfois prônée par Genève, a constitué un autre aspect de la procédure qui déplut à certains partenaires catholiques.

À tort ou à raison l'impression a prévalu dans le milieu catholique que des représentants du Conseil œcuménique avaient tendance à vouloir avancer en « marche forcée ». Lorsqu'on lit les documents concernant le *membership*, on peut constater que les déclarations destinées à rassurer le Secrétariat romain quant au rythme des étapes à respecter ne font que se multiplier à partir de l'automne 1970. Ces déclarations révèlent un certain malaise du côté catholique, qui a dû être ressenti davantage parmi les évêques que parmi les experts.

À la fin du processus, certains commentateurs n'ont pas hésité à attribuer l'échec à l'appréhension de plusieurs responsables de l'Église catholique devant le risque d'être « bousculés » et de devoir brûler les étapes. Il est instructif d'écouter la mise au point faite au Comité central d'Utrecht en 1972 par le père Long, chef de service du Secrétariat pour l'Unité, lorsqu'il rappela au passage que la décision en matière œcuménique appartenait aux Églises intéressées et à elles seules. C'était répondre aux critiques concernant la réserve prudente de Rome et sa lenteur à trancher dans la question du *membership*[1].

QUELQUES OBSTACLES DÉCISIFS

Il ne s'agit pas ici d'un « inventaire » ni de reprendre des facteurs déjà évoqués comme l'avis négatif du père Chr. Dumont, déjà cité[2], mais il s'agit plutôt d'indiquer

---

Groupe mixte de Travail et n'a pas non plus été préparé pour ce Groupe. Il représente seulement la tentative d'une personne de résumer une discussion qui s'est développée au cours des deux dernières années à travers différents périodiques et articles. En tant que tel, l'article n'a pas d'autre valeur. Nous regrettons que la publication de cet article et son introduction aient pu donner une fausse impression à nos lecteurs. Dr. Leo Alting von Geusau. »

1. Voir « La XXVe réunion du Comité central à Utrecht », *Irénikon* 45 (1972) p. 499.

2. Le fameux rapport du père Dumont adressé en décembre 1970 au

quelques problèmes majeurs qui, de part et d'autre, ont fonctionné comme des obstacles, finalement insurmontables [1].

Manque de « réalisme pastoral » (de toutes parts).

Faisant allusion au mouvement de contestation à l'intérieur de l'Église catholique et aux mises en question d'elle-même à laquelle elle doit faire face (autorité, institution, papauté, laïcat, contenu même de la foi), déjà la consultation d'experts catholiques qui, en octobre 1970, était chargée de préparer la *Plenaria* du mois suivant, avait invoqué le nécessaire « réalisme pastoral » : elle souhaitait une étude plus poussée à ce sujet et peu lui importait « que ces tensions [de la contestation] doivent finalement se révéler créatrices ou qu'elles soient déjà facteurs d'accélération d'une crise [2] ».

La question de savoir si le *membership* de l'Église catholique allait endiguer la crise de la foi ou, au contraire, l'accélérer, n'intéressait pas seulement les représentants de Rome mais aussi ceux de Genève.

À la première discussion des évêques en réunion plénière du Secrétariat romain (novembre 1970), la grande majorité des participants firent part de leur inquiétude à cet égard. Leur préoccupation était plus vive que celle des « spécialistes » du mouvement œcuménique, qui avaient travaillé dans le cadre du Groupe mixte de Travail [3]. On retrouve

cardinal secrétaire d'État n'était pas vraiment représentatif du milieu œcuménique du Secrétariat pour l'Unité. Il semble d'ailleurs qu'après avoir rédigé ce rapport le père Dumont a cessé de faire partie du Secrétariat pour l'Unité...

1. Dans le questionnaire adressé par Mgr Willebrands au Dr Blake en mai 1971, le prioritaire et le secondaire sont parfois noyés dans le même fleuve d'une trentaine d'interrogations.

2. Types de relations entre l'Église catholique et le Conseil œcuménique : Note d'introduction pour la *Plenaria*, p. 6, référence Plenaria 1970 Secr. nov. 70 n° 153. Archives de Mgr E. J. De Smedt, diocèse de Bruges.

3. Les membres catholiques du Comité des Six, impressionnés encore par l'ambiance de vive sympathie à Uppsala et influencés par la hâte de

des soucis parallèles lorsque les dirigeants de Genève
s'inquiètent de savoir comment les Églises membres vont
accueillir une présence massive de délégués romains qui, en
cas d'adhésion, allaient envahir la frêle barque de l'*Oikou-
mené* en risquant de la faire chavirer. Le spectre d'un
« œcuménisme séculier » et la contestation des institutions
ecclésiastiques ont pesé aussi sur les responsables des
Églises et ont eu leur impact sur un « pape alarmé [1] ».

Du côté catholique on insistait toujours sur l'urgence de
donner une éducation œcuménique au clergé et aux fidèles
avant d'adhérer au Conseil œcuménique [2].

Les membres du Groupe mixte de Travail qui s'étaient
engagés dans l'affaire du *membership* ont peut-être sous-
estimé le poids de cet obstacle.

Manque d'ouverture démocratique (de la part de Rome).

Le style *monarchique* que Rome donnait en général à sa
manière d'exercer le pouvoir et en particulier à la procédure
finale concernant sa candidature éventuelle était difficilement compatible avec la tradition de discussions ouvertes et
d'assemblées délibératives qui caractérisent non seulement

---

certains « Genevois », ne se sont peut-être pas assez rendu compte que
les conférences épiscopales de leur Église vivaient déjà dans une atmosphère moins dynamique et que Paul VI allait être sensible aux réticences d'un nombre d'évêques qui, au retour du concile, se trouvaient
brusquement confrontés à des crises imprévues, au plan local.

1. En juin 1972 à la basilique Saint-Pierre, Paul VI laissa échapper
cette plainte : « On avait pensé qu'après le concile le soleil luirait sur
l'histoire de l'Église. Au lieu de cela, c'est un jour de nuages, de
tempête, d'obscurité, de recherche et d'incertitude, qui est venu... Le
doute est entré dans notre conscience », voir Jan GROOTAERS, *De
Vatican II à Jean-Paul II*, Paris, 1981, p. 99.

2. En 1966 le père Hamer écrit à cet égard : « Cependant on ne peut
pas dire que l'éducation œcuménique soit suffisante pour faire
comprendre aux fidèles comment l'entrée dans le Conseil... n'implique-
rait en aucune façon la moindre renonciation à nos propres convictions
en la matière » ; voir « L'œcuménisme du Conseil œcuménique »,
Istina, 1965-1966, n° 2-3 (avril-septembre 1966) p. 306.

Genève mais aussi la plupart des Églises membres. Le statut juridique et diplomatique propre de l'État du Vatican paraissait difficilement conciliable avec les prises de position politiques que le mouvement œcuménique pratique depuis la fondation du Conseil de Genève et même avant 1948 depuis les grandes conférences *Life and Work* de l'entre-deux-guerres.

En 1969 le pasteur Visser 't Hooft croyait qu'il faudrait encore dix ou vingt années avant que la collaboration Genève-Rome puisse entrer dans une nouvelle phase. Ses réticences étaient formelles à l'égard des conséquences d'une entrée de Rome au Conseil : « Je ne vois pas comment le pape d'une Église catholique qui aurait adhéré au Conseil œcuménique aurait la disponibilité nécessaire pour se concerter avec les dirigeants d'autres Églises et se faire accepter à Genève, alors qu'il ignore ses propres conférences épiscopales, ainsi que les incidents concernant *Humanae vitae* l'ont démontré [1]. »

Manque d'efficacité (de la part de Genève).

Dès la « consultation » d'octobre 1970, les experts catholiques se sont préoccupés de mieux cerner le contenu concret du *membership* : dans quelle mesure l'adhésion au Conseil de Genève a-t-elle aidé les Églises membres à porter ensemble témoignage de l'Évangile ? De quelle manière le Conseil œcuménique a-t-il effectivement influencé la pensée et l'action des Églises par rapport aux autres Églises et au monde [2] ?

Ces questions vont rester les mêmes jusqu'à la fin de la procédure concernant l'éventuelle candidature de l'Église

---

1. Voir J. GROOTAERS, « Visser 't Hooft : Leben und Werk », *Herder-Korrespondenz* 39 (septembre 1985) p. 419-424 (voir p. 422). Enfin il pensait qu'on aboutirait à une impasse si Rome étant membre du Conseil œcuménique se mettait à édicter des anathèmes contre Küng et Schillebeeckx.

2. *Introductory Note for the Plenarium Consulta 1970*, Secr. oct. 70, n° 123, doc. A, p. 3. Archives de Miss Rosemary Goldie, Rome.

catholique et elles ne recevront pas toutes de réponse satisfaisante.

Une observatrice attentive de l'extérieur a attaché une grande valeur à cette question concernant le fonctionnement des Églises membres.

Dans le mémoire *The World Council of Churches and the Church* (IDOC Research, Aarhus-Danemark, août 1969), rédigé par Anna Maria Aagaard (et six autres collaborateurs), l'auteur danois soulignait déjà à l'époque l'originalité de cette préoccupation de Rome. Avant de donner son adhésion, l'Église catholique veut à tout prix découvrir dans quelle mesure les Églises membres réalisent vraiment l'engagement qui découle de leur appartenance au Conseil. « Beaucoup d'Églises protestantes ont créé un lien structurel avec le Conseil œcuménique des Églises, mais le "fellowship" avec les autres Églises au sein du Conseil œcuménique leur importe en réalité très peu. Elles ne veulent en aucun cas se laisser influencer par le travail et les décisions du Conseil et changer en conséquence. L'attitude officielle de l'Église catholique semble être tout à fait inverse [1] » (notre traduction de l'anglais).

Il est possible qu'à la base de cette exigence de l'Église catholique se trouve précisément une différence d'ecclésiologie. La signification d'être une Église visible et institutionnelle peut varier selon l'identité confessionnelle : elle est parfois « minimale » dans la tradition des Églises issues de la Réforme ; elle est « majorée » dans la perspective romaine. Dans cette dernière perspective l'engagement jugé insuffisant des Églises membres est considéré comme étant la marque d'un manque d'efficacité du Conseil de Genève.

---

1. A. M. AAGAARD, p. 30 ; l'auteur poursuit : « D'un NON strict au mouvement œcuménique et au Conseil œcuménique des Églises, l'Église catholique est passée à un OUI au mouvement œcuménique. Pour que ce OUI s'élargisse et devienne aussi un OUI au Conseil œcuménique, cela dépend avant tout des Églises faisant partie du Conseil œcuménique lui-même. Ce Conseil incarne-t-il véritablement en lui-même le mouvement œcuménique ? S'il en est ainsi, l'engagement de l'Église catholique dans le mouvement œcuménique la conduira nécessairement vers le *membership* au sein du Conseil œcuménique des Églises » (notre traduction de l'anglais).

5

QUELLE INCOMPATIBILITÉ ?

Un des grands architectes du Conseil œcuménique, le Dr Willem Visser 't Hooft, constatait en 1954, dans un chapitre traitant de l'histoire du mouvement œcuménique, « qu'il y avait une profonde incompatibilité entre l'idéal d'unité catholique romain et celui professé par toutes les autres Églises [1] ».

Sommes-nous enclin à trouver là l'ultime explication de l'aventure mouvementée et avortée dont nous venons de faire le récit ? Ou bien allons-nous tomber dans la tentation des « si » : si telle chose s'était passée, si telle personne avait agi, etc., alors l'ordre du jour – du *membership* de l'Église catholique – n'aurait pas subi un tel échec. Il y a là un véritable piège, dont tout chroniqueur et tout historien doit se garder.

Cet ultime chapitre ne sera donc pas vraiment historique. Il se propose plutôt d'indiquer dans quelles circonstances et à quel moment il eût peut-être été possible de remédier à l'« incompatibilité profonde » que l'on a dénoncée entre Rome et l'engagement œcuménique des autres Églises.

Nous nous fondons sur la notion de « catholicité », un concept qui a contribué à caractériser le mouvement œcuménique depuis ses origines.

---

1. « Mais il existe une profonde incompatibilité entre les idéaux d'unité de l'Église catholique et ceux professés par les autres Églises », dans « The Genius of the World Council of Churches », *A History of the Ecumenical Movement*, p. 1517-1948, R. ROUSE et St. Ch. BELL (éd.) , Londres, 1954, p. 728 (notre traduction de l'anglais).

ŒCUMÉNICITÉ ET CATHOLICITÉ

Ainsi qu'on le sait, le terme « œcuménique » est très ancien mais a réussi, à partir des années 1920, à acquérir la signification nouvelle et dynamique que nous lui connaissons aujourd'hui. Le mérite en revient principalement à l'archevêque luthérien d'Uppsala, Nathan Söderblom.

Tandis que le terme de « catholique », employé pour la première fois au début du IIe siècle, a conservé la saveur de son contenu antique et a permis une revalorisation récente de son ancienne richesse [1].

En conclusion d'une analyse fouillée, H. Stirnimann n'hésitait pas à dire sa préférence pour l'usage restauré du terme « catholicité » en tant que « ré-acquisition de son contenu ancien ». Ce concept a pour fondement l'« œcuméné » déjà réalisée entre les Églises [2].

Il convient ici de se référer à une œuvre de jeunesse de Willem Visser 't Hooft, *Le Catholicisme non romain*, texte de trois cours donnés à Genève en décembre 1932 et édités à Paris en mars 1933 [3]. Il s'agit d'un véritable chef-d'œuvre d'esprit prophétique mais apparemment tombé dans l'oubli. Ce livre révèle une perspicacité extraordinaire pour l'époque sur l'ensemble des « fronts » œcuméniques et fait pressentir en quelque sorte la stratégie œcuménique du futur dirigeant du Conseil œcuménique. La portée principale de

1. On connaît la fameuse lettre d'Ignace d'Antioche aux Smyrniotes (écrite en l'an 110) comme première source du mot « catholique ». Selon Pierre BATTIFOL, *L'Église naissante et le catholicisme*, Paris, 1927, la « catholicité » aux environs de l'an 200 désigne l'homogénéité de la foi des Églises, la succession ininterrompue depuis les apôtres et l'assistance du Saint-Esprit promis aux apôtres par le Christ. Voir *op. cit.*, p. 166-167, p. 276, p. 492-493. Voir aussi IGNACE D'ANTIOCHE, *Lettres*, Th. CAMELOT (éd.), coll. « Sources chrétiennes », n° 10, Paris, Éd. du Cerf, 1944, p. 94 s., en particulier p. 98, n. 4.

2. Heinrich STIRNIMANN, « "Catholic" and "Ecumenical" », *Ecumenical Review*, 18 (juillet 1966) p. 293-309, ici p. 309.

3. Voir Willem A. VISSER 'T HOOFT, *Le Catholicisme non romain*, Paris, 1933, 131 p. Voir aussi Jan GROOTAERS, « Visser 't Hooft : Leben und Werk », *Herder Korrespondenz* 39/9 (septembre 1985) p. 419-424.

l'ouvrage consiste à « remembrer » une catholicité où l'apport protestant aurait sa pleine signification : dans ce but, l'auteur combat les incompréhensions des Églises protestantes à l'égard des valeurs des catholiques non romains et les incompréhensions de ceux-ci à l'égard des valeurs protestantes. Le nœud à dénouer consiste à bien distinguer les valeurs des Églises catholiques non romaines des abus dont ces valeurs ont à souffrir de la part de l'Église catholique romaine, entre autres à cause des accents de la Contre-Réforme.

Selon l'auteur, une meilleure disponibilité à la réception des valeurs du catholicisme non romain peut amener les protestants a redécouvrir notamment la primauté spirituelle de l'Église visible dans la vie de foi, aspect central de la Révélation chrétienne : Église de l'Incarnation qui est à la fois humaine et divine, visible et invisible[1]. Parmi les valeurs « catholiques » proposées par les non-romains, il y a d'abord le caractère visible d'une Église réunie, l'importance centrale des sacrements, la continuité de la tradition notamment liturgique. On voit bien que, venant d'un auteur protestant, cette notion de « catholicité » est capable d'inspirer tout un mouvement œcuménique.

Du côté de la pensée catholique romaine, l'évolution de la réflexion concernant la « catholicité » n'a pas été moins enrichissante[2]. Après le passage d'une catholicité *quantitative* (géographique) à usage apologétique à une catholicité *qualitative* (notion dynamique) tendant au renouveau de l'Église, nous assistons, bien avant Vatican II, au développement de l'idée de la catholicité comme *don* et comme *tâche* (selon l'expression courante en allemand « Gabe und Aufgabe »).

---

1. Les protestants ont négligé de réfléchir au fait que Dieu a parlé à son Église avant la Réforme et d'étudier l'Église préréformée : entre autres l'Église des premiers siècles, l'Église des grands conciles et même l'Église jusqu'à la Réforme. W. VISSER 'T HOOFT, *Le Catholicisme non romain*, p. 119-120 et passim.

2. Avant le concile Vatican II, chez des auteurs comme K. Adam, Y. Congar, P. Lippert, G. Thils, G. Philips, H. de Lubac et d'autres. Parmi les « ancêtres » de ce courant il faut citer J. A. Moehler et Poulpiquet.

Pour de nombreux œcuménistes catholiques romains, la catholicité – notion plus riche que l'universalité – implique donc nécessairement une tâche, un mandat, une obligation [1].

Cette tâche consiste essentiellement à combattre tout particularisme qui surgit dans son propre milieu confessionnel [2] sans pour autant abandonner toute caractéristique considérée comme valable.

Ce travail d'actualisation vaut bien sûr pour les différentes traditions confessionnelles mais pas de la même manière. Si la tâche de chaque famille confessionnelle consiste à remédier à ses propres particularismes, les réformes à réaliser seront différentes selon les lacunes ou les déformations de chaque tradition.

Nous l'avons souligné, dans le cas de l'essai du Dr W. Visser 't Hooft : le mouvement vers la catholicité pour les Églises protestantes suppose la redécouverte de l'Église préréformée, c'est-à-dire les valeurs de l'Église des premiers siècles et des grands conciles.

Pour l'Église catholique, les « péchés d'omission » qui empêchent l'Église d'être entièrement catholique sont évidemment d'une tout autre nature [3]. Les aspects qui, au

---

1. Y. CONGAR, *Catholicisme* (1949), t. II, Catholicité ; J. H. WALGRAVE, *Theologisch Woordenboek* (1952), t. I, *Katholiciteit* ; J. WITTE, « Die Katholizität der Kirche », *Gregorianum* 42 (1961) p. 193-241 ; G. THILS, *Histoire doctrinale du mouvement œcuménique* (éd. revue en 1962), Louvain, p. 262 s.

2. Y. Congar parle de « notre catholicisme étriqué et affadi », devenu un « isme » aussi exclusif que les autres « ismes » (*Chrétiens désunis*, 1937, p. 338 et 340). Pour G. Thils, il y a une catholicité authentique qui demande à être « actualisée à l'intérieur de l'Église une » : « la merveilleuse diversité des spiritualités, des sensibilités religieuses, des accentuations doctrinales ». Cela est « accomplir et parachever la catholicité » (*Histoire doctrinale*, 1962, p. 274).

3. Voir Chr. DUMONT, « Rome-Constantinople-Moscou : vers l'union ? », *Istina* 11 (janvier-mai 1966) p. 25. L'auteur parle du « péché d'omission » commis, à partir du XVIᵉ siècle, par les théologiens catholiques qui, pour réfuter les négations protestantes de la structure visible de l'Église, ont souligné les caractères institutionnels au point de négliger les éléments d'ordre proprement spirituel que les protestants ne mettaient pas en cause… L'analogie de la « société » devint *trop exclusivement* le concept de base de l'ecclésiologie catholique. C'est tout le drame et l'« hérésie » de la Contre-Réforme. La version de cet article en

Moyen Âge et pendant la Contre-Réforme, ont été surévalués – dans un souci apologétique – au sein de l'Église latine, ont risqué d'occulter des valeurs significatives de la catholicité de l'Église du premier millénaire : c'est dans cette perspective que l'Église catholique romaine devait devenir davantage catholique.

Dans la mesure où, à l'origine du mouvement œcuménique, des réformés, des luthériens, des anglicans avaient été à la recherche de valeurs « catholiques » dans le sens courant de *High Church* ou *Hochkirchlich*, les promoteurs catholiques romains du mouvement pour l'unité étaient à la recherche des valeurs du premier millénaire, qui, parfois, sont apparentées à des aspects de la Réforme et, à partir de Jean XXIII, vont tous se trouver à l'ordre du jour d'un concile général de l'Église de Rome : sacerdoce commun des fidèles, ministère comme service, liturgie participée, communion sous les deux espèces (le fameux *Laienkelch*), conciliarité et synodalité, centralité de la Parole de Dieu.

Pour eux il s'agissait de « remonter » *avant* la scolastique, *avant* la réforme grégorienne, *avant* le schisme de 1054, et de faire retour aux Pères de l'Église (latine et grecque).

Une bonne vingtaine d'années avant l'élection libératrice de G. Roncalli comme évêque de Rome, le père Y. Congar, dans son livre-programme *Chrétiens désunis* (Paris, 1937), donnait une description assez extraordinaire de cette catholicité que l'Église romaine devait faire apparaître davantage et rendre radieuse pour être reconnaissable aux autres : réforme du mouvement liturgique, réforme de l'effort missionnaire, participation du laïcat à l'apostolat, renouvellement de la théologie catholique par un contact sérieux avec les sources, contemplation plus vivante des mystères, dégagement délibéré des étroitesses de la Contre-Réforme [1].

---

langue allemande se trouve dans C. J. Dumont, « Rom – Konstantinopel – Moskau. Hoffnungszeichen auf dem Weg zur Einheit », *Wort und Warheit*, XXI, n° 4 (avril 1966) p. 249-262.

1. Y. Congar, p. 340-341, où il poursuit : « L'œcuménicité n'est pas une autre réalité que l'Église elle-même : c'est l'Église en tant qu'étant une, elle est aussi catholique et s'efforce de réaliser pleinement sa catholicité. »

Les mouvements qui cherchaient à restaurer l'unité chrétienne parmi les Églises non romaines – notamment au sein du Conseil œcuménique – et ceux qui, au sein de l'Église romaine, préparaient sans le savoir clairement la percée œcuménique de Vatican II, étaient en quelque sorte parallèles, mais sous l'apparence d'être dissemblables.

Ce qui manquait le plus à certaines Églises non romaines – une plus grande visibilité, une structure plus institutionnelle, un meilleur sens du ministère épiscopal – était précisément ce qui, dans l'Église romaine, allait devoir être élagué, allégé et purifié. Ce qui manquait le plus à l'Église catholique à la suite de la Contre-Réforme c'était certains aspects de la vie chrétienne, que la tradition protestante avait revalorisés de façon unilatérale.

Dans ce contexte on comprend mieux Willem Visser 't Hooft qui, en 1948, constatait une profonde incompatibilité entre deux mouvements œcuméniques différents.

Cependant, depuis lors, il y a eu du côté de l'Église catholique cet événement œcuménique majeur : la célébration d'un concile général de 1962 à 1965.

Le mandat d'actualiser à nouveau la catholicité dans toutes ses articulations et selon une hiérarchie des vérités est exactement ce que les mouvements de rénovation dans l'Église catholique ont cherché à réaliser tant bien que mal au deuxième concile du Vatican.

Même si les résultats ont varié selon les textes et les thèmes de l'assemblée, on ne pouvait nier que les pères conciliaires apportaient une contribution majeure à une ecclésiologie plus « catholique », à un laïcat réactivé, à une liturgie participée et à des liens rénovés avec les Églises sœurs.

Écrivant au lendemain de Vatican II, le théologien anglican A. M. Allchin évoquait en parallèle l'*Oxford Movement*, qui avait été « une réforme de la Réformation » (tendance dans laquelle l'ensemble du monde protestant se trouve bientôt entraîné par l'œcuménisme) et d'autre part le renouveau œcuménique de l'Église romaine qui était « une réforme de la Contre-Réformation [1] ».

---

1. « The Via Media », dans J. COULSON, A. M. ALLCHIN et M. TREVOR, *Newman a Portrait Restored*, Londres, 1965, p. 73 et 80 ;

Friedrich Heiler, le grand prophète de la « catholicité évangélique », dont les manifestes eurent un grand retentissement entre les deux guerres, a vécu assez longtemps pour être témoin de l'avènement de Jean XXIII et du déroulement de Vatican II [1]. Nous savons aujourd'hui que ce pionnier du mouvement œcuménique a vu dans l'esprit d'ouverture du pape Jean, dans l'assemblée conciliaire à Rome et plus particulièrement dans la réforme de la liturgie, la réalisation inattendue de ses rêves et les débuts de la conversion de Rome à une « catholicité évangélique [2] » !

Il ne serait pas difficile de multiplier ici des témoignages comparables, mais il y a mieux à faire. Il suffit de voir les textes du dernier concile de l'Église catholique, qui explicitent le sens de cette actualisation de la catholicité, dont nous avons parlé précédemment. Dans la constitution *Lumen gentium*, notamment au n° 13 A, on trouve une définition de la catholicité dynamique en tant que *Gabe* : un don du Seigneur lui-même – et *Aufgabe* : une tendance à récapituler l'humanité entière : « En vertu de cette catholicité, chaque portion apporte aux autres et à toute l'Église le bénéfice de ses propres dons, en sorte que le tout et chacune des parties s'accroissent... par un effort commun vers une plénitude dans l'unité » (voir aussi les n°s 8 et 22 de cette même constitution). On trouve également de tels textes dans le décret sur le mouvement œcuménique *Redintegratio Unitatis*, notamment au n° 4, qui reconnaît que les divisions entre chrétiens empêchent l'Église de réaliser la plénitude de la catholicité « qui lui est propre en ceux de ses fils qui, certes, lui appartiennent par le baptême, mais se

---

voir aussi p. 79 et 88, où Allchin démontre comment J. H. Newman en devenant membre de l'Église catholique y avait apporté et introduit un patrimoine « catholique » propre à la tradition anglicane. « Sa conversion [de Newman] doit être comprise en termes de développement, un développement dans lequel il inclut l'Église catholique et tous les éléments positifs retenus de ses années anglicanes » (notre traduction de l'anglais). Et aujourd'hui il est émouvant de voir comment ces choses sont en train de se développer à Rome même.

1. Fr. Heiler, né en janvier 1892, est décédé en avril 1967.
2. Voir H. HARTOG, *Evangelische Katholizität : Weg und Vision Friedrich Heilers*, Mainz, 1995, en particulier p. 219-236.

trouvent séparés de sa pleine communion… Bien plus, pour l'Église elle-même, il devient plus difficile d'exprimer sous tous ses aspects la plénitude de la catholicité dans la réalité même de la vie » (voir aussi les n°s 13 et 17 de ce même décret).

LE « KAIROS » DU CONCILE VATICAN II

Dans ce cadre surgit alors le projet de l'adhésion de l'Église catholique au Conseil de Genève. Une délégation de celui-ci avait suivi Vatican II à titre d'« observateurs ». Mais il a fallu un temps considérable aux dirigeants et plus encore aux Églises membres du Conseil œcuménique pour faire confiance à l'événement conciliaire et à ses conséquences en profondeur pour l'Église catholique. Ce n'est qu'au début de 1965 qu'une prise de position du Comité central (à Enugu) accueille officiellement Vatican II. L'acceptation véritable de la « conversion œcuménique » de Rome par les Églises membres du Conseil œcuménique ne peut être située qu'à l'assemblée d'Uppsala en juillet 1968. Le comité rédactionnel chargé de préparer un rapport concernant l'éventualité d'un *membership* a terminé ses travaux au printemps de 1970.

Il serait sans doute exagéré de dire que six ans après la promulgation du décret conciliaire sur l'œcuménisme *l'heure de grâce* de Vatican II était en quelque sorte passée. Cependant, il faut bien faire trois remarques à cet égard : 1. d'abord que la dynamique « conciliaire » n'est plus alors à son zénith, 2. ensuite que la délicate opération de la réception de Vatican II dans les Églises locales de l'Église catholique n'a pas encore commencé en profondeur, 3. et enfin que le Conseil œcuménique, pour son dialogue avec Rome, n'a plus le même partenaire devant lui.

Ce dernier point, d'une grande importance, nécessite un mot d'explication. Si les représentants du mouvement œcuménique à Genève avaient mis le *membership* de l'Église catholique à l'ordre du jour du dialogue officiel dès 1964, ils auraient pu ouvrir cette rencontre avec le *concile lui-même.* En attendant, jusqu'en 1970, ils se sont trouvés devant une *Curie romaine* qui commençait son lent mouvement de « récupération » et devant un Paul VI chez qui les appréhensions devant l'avenir dépassaient de plus en plus les expectatives heureuses. Mais nous voilà tombé dans le piège des « si » de ceux qui s'imaginent que l'on peut réécrire l'histoire.

Contentons-nous donc de constater que le *kairos* de Vatican II n'a pas été perçu dans toute sa signification par les dirigeants et les Églises membres de Genève. Et que, du côté de l'Église catholique, il faudra plusieurs décennies pour que les Églises locales les plus aptes à une mutation œcuménique se convertissent à l'actualisation de la pleine catholicité.

Autant dire qu'aujourd'hui une éventuelle candidature à l'adhésion se présenterait dans un contexte entièrement différent tant du côté de Genève que du côté de nombreuses Églises locales de l'Église de Rome.

Autant dire que les leçons à tirer d'un passé récent sont précieuses. Elles ne seront pas perdues si ce passé nous reste présent à l'esprit et si notre mémoire reste fidèle aux exigences de *catholicité.*

PREMIÈRE SÉRIE D'ANNEXES

SIX DOCUMENTS INÉDITS
DE L'ORDRE DU JOUR INACHEVÉ
(1968-1972)

Les six textes inédits que nous publions dans cette première série d'annexes sont destinés à illustrer de manière concrète le récit qui précède.

Si l'on voulait donner une interprétation globale à cette série, on pourrait proposer une hypothèse de travail selon laquelle les ANNEXES I, II et III représentent la *phase ascendante* de l'examen consacré à l'éventuelle adhésion de l'Église catholique au Conseil œcuménique et les ANNEXES IV, V et VI reflètent plutôt la *phase descendante* de cet examen.

Même si nous ne nous sentons pas du tout autorisé à indiquer une date plus ou moins précise pour situer un point de rupture, il paraît probable que c'est entre juillet et septembre 1970 que l'on perçoit que « le vent commence à tourner ». L'emploi d'un vocabulaire météorologique révèle suffisamment le caractère en quelque sorte irrationnel de notre perception.

Cette distinction de deux phases successives d'une évolution globale ne signifie en aucun cas que les textes présentés ici en appendice constitueraient des « bornes » de notre cheminement. Encore une fois, il s'agit d'illustrer un développement historique sans avoir l'ambition de baliser celui-ci.

ANNEXE I
AIDE-MÉMOIRE DU GROUPE MIXTE DE TRAVAIL
(GWATT, MAI 1969)

Note introductive.

Ainsi que nous l'avons déjà indiqué, c'est au Comité central du Conseil œcuménique des Églises au début de 1965, que la constitution du Groupe mixte de Travail est approuvée comme organe provisoire de liaison entre Rome et Genève. Il s'agit d'organiser une collaboration entre deux organismes dissemblables – entre un Conseil d'Églises et une Église non membre – en vue de préparer des liens que l'on espérait organiques entre les deux entités. Le Groupe mixte compte huit délégués du Conseil œcuménique et seulement six délégués pour représenter l'Église catholique.

Pendant toutes ces semaines de démarrage, le *caractère temporaire* du Groupe mixte de Travail ne faisait de doute pour personne, même si, après 1975, on a généralement tendance à le perdre de vue pour finir par « l'oublier » complètement.

C'est donc dans le cadre d'une concertation provisoire que la question du *membership* éventuel de l'Église catholique est apparue comme appartenant avec évidence à la compétence du Groupe mixte. Le texte de l'« aide-mémoire » de mai 1969, qui est publié ici pour la première fois dans sa version en langue française, était à l'époque considéré généralement comme le *point de départ* de la procédure qui était alors mise en branle.

Notons enfin que le Groupe mixte de Travail se trouve sous une double tutelle : celle du Comité central du Conseil œcuménique des Églises d'une part et, de l'autre, celle de l'assemblée plénière du Secrétariat romain pour l'Unité. C'est donc à ces deux instances que les résultats des délibérations du Groupe mixte concernant le *membership* devront être soumis chaque année.

Texte du document.

GROUPE MIXTE DE TRAVAIL
ENTRE L'ÉGLISE CATHOLIQUE ROMAINE
ET LE CONSEIL ŒCUMÉNIQUE DES ÉGLISES
GWATT, 12-17 MAI 1969

AIDE-MÉMOIRE DU GROUPE MIXTE DE TRAVAIL

Nous sommes préoccupés de fournir la meilleure contribution possible à la recherche collective de l'unité de tous les chrétiens. C'est dans ce sens que nous avons parlé de l'« unique mouvement œcuménique » dans le deuxième rapport. Le mouvement œcuménique constitue en effet un ensemble dans lequel convergent les efforts de toutes les Églises chrétiennes qui veulent surmonter l'actuel état de division en vue de rendre témoignage au Christ dans le monde d'aujourd'hui. Nous entendons favoriser ce travail commun. Tel est le critère dans le deuxième rapport (paragraphe 8).

En raison de cela nous pensons que les tâches suivantes s'imposent à nous pour l'instant.

1. Développer la collaboration actuelle dans toute la mesure de nos possibilités en hommes et en ressources.

Beaucoup de choses se sont passées au cours des deux dernières années. Les contacts et la collaboration se sont considérablement développés. Deux exemples peuvent illustrer ces progrès. Des théologiens catholiques romains participent maintenant comme membres de plein droit à la Commission Foi et Constitution, qui est l'organe du Conseil œcuménique des Églises pour l'étude des aspects théologiques de l'unité de l'Église. Et la collaboration entre la Commission pontificale Justice et Paix et le Conseil œcuménique des Églises a conduit à la création d'un Secrétariat mixte sur la Société, le Développement et la Paix. Des projets plus importants sont envisagés, et au fur et à mesure de leurs réalisations, ils inciteront davantage les Églises à concerter leurs activités à tous les niveaux. On peut noter en outre que des catholiques romains font partie de divers comités du Conseil œcuménique des Églises en qualité de membres (Institut œcuménique de Bossey) ou de consultants (DWME, Église et Société).

Les relations vont vraisemblablement se développer encore à l'avenir. Il y a des secteurs où les Églises sont affrontées à des problèmes communs et où une approche commune est à la fois possible et souhaitable (phénomène de l'incroyance, tension entre les générations, rapports avec les religions non chrétiennes, possibilités d'un témoignage commun, problèmes que rencontre la jeunesse).

2. Promouvoir la sensibilisation locale au dialogue et à la collaboration œcuménique, et cela partout dans le monde.

Le Groupe mixte de Travail a conscience que les étapes ultérieures dépendent, dans une large mesure, du progrès du mouvement œcuménique dans les divers pays. Il existe une interdépendance entre les plans internationaux et régionaux, nationaux et locaux, qu'il faut savoir reconnaître. Dès ses premiers rapports, le Groupe mixte de Travail a attiré l'attention sur l'importance des conseils nationaux et locaux pour l'avenir du mouvement œcuménique. Depuis, il y a eu des progrès sensibles. On a vu un plus grand nombre de diocèses et de paroisses catholiques romaines entrer dans la composition des conseils nationaux et locaux, et des discussions sont actuellement en cours dans plusieurs pays pour préparer cette participation à titre de membres. La situation varie selon les pays et des solutions différentes peuvent être adoptées. Il est cependant important que les Églises de toutes les régions, tous les pays et toutes les localités, poursuivent leur commune recherche de l'unité dans une vivante fraternité et qu'elles rendent un témoignage commun sur la base de la communion qui déjà les lie les unes aux autres.

Le Groupe mixte de Travail ne sera en mesure de poursuivre sa tâche avec succès qu'à la condition qu'il maintienne un contact réel avec les Églises des divers pays. Il demande donc :

a. que des mesures soient prises pour assurer ce contact et pour réunir à l'échelle mondiale l'information concernant les progrès de l'unité, qu'ils soient locaux, nationaux ou régionaux, et cela dans la collaboration et un climat de fraternité entre l'Église catholique romaine et les Églises membres du Conseil œcuménique des Églises ;

b. que l'Église catholique romaine et le Conseil œcuménique des Églises fournissent, sur le travail accompli jusqu'ici, une information détaillée aux conférences épiscopales et aux Églises membres du Conseil œcuménique, et les instruisent à la fois des projets de développement et des problèmes en suspens ;

c. que des enquêtes sur les contacts et la collaboration existant entre l'Église catholique romaine et le Conseil œcuménique des Églises soient rendues accessibles au grand public.

3. Le Groupe mixte de Travail, qui vient d'être remanié, est essentiellement provisoire. Comme nos activités communes se développent, nous serons amenés à nous demander à nouveau quelle expression donner à nos relations pour rendre mieux témoignage au Christ et pour servir mieux l'unité voulue par Dieu pour son Église. Nous devrons ainsi préparer progressivement des nouvelles formes à mettre en place en temps utile. Différentes hypothèses se présentent à l'esprit. À titre d'exemple citons-en trois :

- l'entrée de l'Église catholique romaine dans le Conseil œcuménique des Églises à titre de membre ;
- la création d'une nouvelle association fraternelle de l'Église avec un statut différent ;
- l'organisation d'un travail coordonné entre le Conseil œcuménique des Églises et l'Église catholique romaine.

Quoique ces différentes hypothèses méritent d'être étudiées objectivement et sereinement, c'est néanmoins la première qui se présente à notre examen pour l'instant. En effet le Conseil œcuménique des Églises est une association fraternelle d'Églises qui existe déjà depuis vingt ans. C'est donc un fait charismatique dont la considération s'impose à nous d'une façon prioritaire. Cette analyse est une tâche normale pour le Groupe mixte de Travail auquel il appartient d'étudier les méthodes de la collaboration.

D'ici peu une petite commission sera nommée qui abordera ce problème sous ses aspects théologiques, pastoraux et administratifs, et soumettra un rapport à la prochaine réunion du Groupe mixte de Travail.

ANNEXE II
CONSULTATION PRÉPARATOIRE À LA « PLENARIA »
DU SECRÉTARIAT POUR L'UNITÉ (ROME, JUIN 1969)

Note introductive.

En vue de préparer l'assemblée plénière du Secrétariat romain pour l'Unité, il est d'usage de consulter pendant quelques jours des experts compétents en œcuménisme. Les autres dicastères de la Curie romaine font de même.

C'est ainsi que la consultation en vue de la *Plenaria* de l'automne de 1969 fut l'objet de concertation pendant trois journées, les 2, 7 et 19 juin 1969. Nous ne disposons pas des documents élaborés au cours de ces trois séances. Heureusement nous sommes en possession de la *synthèse* qui fut élaborée en conclusion de cette consultation et qui est datée du 10 juillet 1969. Soulignons que sa thématique est précisément « la question de l'entrée de l'Église catholique romaine dans le Conseil œcuménique des Églises ».

À l'origine de cette synthèse, il y eut trois rapports : document A (séance du 2 juin), document B (séance du 7 juin) et document C (séance du 19 juin). Le rapport conclusif que nous reproduisons ici fait l'amalgame de ces trois documents dont le contenu est réorganisé selon trois rubriques : I. Les Sujets ; II. Les Objets ; III. Les Méthodes. Sous ces trois têtes de chapitre, le lecteur retrouvera des éléments divers, avec référence soit A, soit B, soit C, selon le document d'origine.

Il nous paraît que ce document de synthèse, jusqu'ici inédit, nous démontre le sérieux de la consultation mais aussi la perspective dynamique dans laquelle les auteurs ont envisagé certaines solutions. Pour en donner quelques cas, voir par exemple :

1. Chapitre II, par. B : l'aspect pastoral ;
2. Chapitre II, par. C 2a : structures du Conseil œcuménique ;
3. Chapitre II, par. C 3a : structures régionales ;
4. Chapitre II, par. C 4 : influence de la Curie romaine ;

5. Chapitre III, par. C a : sensibilisation de la Curie ;

6. Chapitre III, par. C d : sensibilisation du synode des évêques.

Enfin, il est frappant de découvrir dans cette synthèse la première mise en œuvre des thèmes et des problèmes que l'on retrouve dans les rapports de 1970-1972, mais alors davantage élaborés.

On pourrait en conclure que c'est donc souvent la même problématique qui se trouve amorcée lors de la consultation de juin-juillet 1969 et qui reviendra en grande partie les années suivantes.

Les lettres de Rosemary Goldie datées du 28 novembre 1988 et du 23 décembre 1988 concernant précisément cette consultation sont proposées plus loin comme ANNEXE B.

Texte du document.

SCU/Juill. 1969 : 145

La question de l'entrée de l'Église catholique romaine dans le Conseil œcuménique des Églises

À la réunion du Groupe mixte de Travail entre l'Église catholique et le Conseil œcuménique des Églises, il a été décidé que l'hypothèse de l'entrée de l'Église catholique au Conseil œcuménique des Églises devait être étudiée sous les aspects théologiques, pastoraux et administratifs.

Ce document de travail regroupe les résultats de trois réunions tenues par le Secrétariat pour l'Unité des chrétiens (2, 7 et 19 juin 1969), sur le thème : « Comment faut-il mener cette étude ? »

Les suggestions retenues au cours de ces séances de travail sont présentées ici, sans aucune appréciation critique, sous trois titres :

I. Les Sujets : quelles sont les personnes, individus ou collectivités, qui doivent participer à cette étude ?

II. Les Objets : sur quels points faut-il faire porter la réflexion ?

III. Les Méthodes : de quelle façon, sur quelles bases et selon quel rythme faut-il faire progresser cette étude ?

Les références placées entre parenthèses renvoient aux documents élaborés à l'issue de ces trois séances : document A (séance du 2 juin), document B (séance du 7 juin), document C (séance du 19 juin).

I. Les sujets : qui doit mener l'étude ?

L'hypothèse, si elle se réalise, entraînant un engagement de toute l'Église (A 28), l'étude de la question devrait être menée à ce niveau même, sans exclure pour autant d'autres corps ou organismes.

A. *Les organes hiérarchiques de l'Église.*

1. *Au niveau des organismes centraux.*

Il conviendrait de consulter ici :

a. Les divers dicastères de la Curie romaine (A 28), en ayant préalablement sensibilisé l'ensemble de la Curie romaine au problème, au cours de la prochaine année.

b. Les autres organismes centraux travaillant à Rome : la nouvelle Commission internationale de théologiens, qui étudierait l'aspect théologique du problème (B 15) ; le Secrétariat pour l'Unité des chrétiens, soit en tant que tel, soit par une commission spécialement créée en son sein pour l'étude de la question (B 10) ; ou encore un nouvel organisme, plus large que le Secrétariat, qui saurait tenir compte des problèmes dans toute leur ampleur (C 7).

c. Le synode des évêques, s'il était également consulté, pourrait être un instrument de relation entre le centre et la périphérie dans le domaine œcuménique. Il permettrait, dans l'étude du *membership*, de maintenir un courant opportun d'informations réciproques (C 31), et pourrait mesurer les répercussions de l'engagement œcuménique des Églises locales sur la Curie romaine. Serait-il trop tard pour inscrire ce sujet à son ordre du jour de septembre 1969 (C 30) ?

2. *Au niveau des organismes nationaux, régionaux et locaux.*

Il faudrait consulter les conférences épiscopales (A 29), les Églises locales, qui sont plus larges que ces conférences (A 36) et les secrétariats diocésains (B 3).

B. *Participation de l'Église orthodoxe.*

L'Église orthodoxe devrait participer à cette recherche. Il conviendrait de la consulter (B 21), et même de l'inviter dans une commission mixte d'études (B 22).

C. *Les organismes œcuméniques.*

La consultation devrait aussi inclure les commissions œcuméniques nationales (B 3), et certains Centres spécialisés en études œcuméniques (A 58), sollicitant l'avis de leurs experts.

D. *Autres organismes.*

a. Le laïcat chrétien : on ne saurait négliger l'avis et le travail de certaines organisations catholiques internationales (A 55), qui jouissent d'une expérience œcuménique de plus de vingt ans, dans leur action quotidienne comme par leurs congrès mondiaux (A 50).

b. Un groupe restreint de travail (A 29) pourrait commencer l'étude, en recevant les informations demandées aux conférences épiscopales. Ce groupe inclurait aussi des laïcs (A 35), compétents en raison de leur personnalité ou des grandes organisations qu'ils représenteraient (B 12), avec la participation de jeunes, de non-chrétiens, et de membres des institutions internationales (ONU, UNESCO).

II. Les objets : sur quels points faire porter cette étude ?

L'entrée de l'Église romaine au Conseil œcuménique des Églises pourrait être considérée sous trois aspects, théologique, pastoral et administratif.

A. *L'objet théologique.*

1. *Le problème des principes ecclésiologiques mis en cause.*

a. Une réflexion devrait se développer sur la nature de l'Église (A 1), des « Églises » (A 3), sur celle du Conseil œcuménique lui-même : étude de l'ecclésiologie sous-jacente (A 4), de la base d'acceptation du *membership* (A 24), de la déclaration de Toronto (A 5), afin de ne pas fonder l'entrée au Conseil œcuménique des Églises sur une « neutralité ecclésiologique » mal définie (B 18). Le Conseil œcuménique des Églises, en effet, n'est pas une « super-Église » (B 29).

b. On étudierait également les notions de communion (B 19, 20) et d'association fraternelle (A 2), gardant présent à l'esprit l'aspect charismatique et pas seulement institutionnel, du Conseil œcuménique des Églises.

2. *Le problème des conséquences fondamentales, pour l'Église romaine, de son adhésion.*

Il faudrait ici envisager :

a. La nature de l'engagement ainsi contracté, dans ses conséquences théologiques et pastorales : renonciation à certaines libertés (A 15), possibilité ou non de se désolidariser de telle ou telle déclaration du Conseil œcuménique des Églises (A 37), si elle n'est pas préalablement soumise au Siège romain (A 17), tout en sachant que semblables désolidarisations pourraient devenir gênantes (A 46) ; autorité et influence du Conseil œcuménique des Églises sur les Églises membres (B 29) ; conséquences pour la mission, les conversions, le prosélytisme (A 52). L'engagement au Conseil œcuménique des Églises des conférences épiscopales serait-il vraiment libre, si leur action doit être, par la suite, contrôlée par le Siège de Rome (A 27) ?

b. L'étude de la relation d'égalité dans le dialogue, une fois réalisé le *membership* (A 6), et influence du *membership* sur le problème de l'intercommunion (A 11).

c. La situation nouvelle du pape, après l'entrée au Conseil œcuménique des Églises. Que deviendrait alors sa primauté, son pouvoir de parler au nom de tous les chrétiens (A 16), son rôle de « pasteur universel » (B 24) ? Quelles limites pourraient alors être imposées à l'exercice de son ministère (B 25) ?

d. Les conséquences sur la Curie romaine : les congrégations qui la composent resteraient-elles libres de leur action et de leurs responsabilités ? Ne seraient-elles pas alors obligées de prendre fréquemment contact avec les autres Églises (A 21) ?

3. *Le problème des influences à long terme sur les structures nouvelles de l'Église à venir.*

a. Les Églises locales seraient-elles libres sur le même pied, dans ces questions (A 41), et pourraient-elles s'associer, dans le Conseil œcuménique des Églises, à des déclarations indépendantes du pouvoir central de l'Église catholique (A 23) ?

b. Les conférences épiscopales auraient-elles la possibilité de devenir par elles-mêmes membres du Conseil œcuménique des Églises (A 7), par nations, régions ou continents (A 32), et ce fait n'aurait-il pas des conséquences décisives sur la collégialité interne de l'Église catholique (A 31) ?

c. La vie conciliaire et la vie synodale de l'Église seraient-elles touchées ? Le Conseil œcuménique des Églises apparaissant comme la préparation d'un futur concile permanent (A 10) dont il réalise actuellement une étape préalable (A 8), ne serait-il pas nécessaire d'avoir, dans l'attente, un synode d'urgence, dont le Conseil œcuménique des Églises aurait la responsabilité, aidé en cela par l'Église catholique romaine (A 9) ? Mais l'actuel synode des évêques catholiques ne verrait-il pas limitée, de ce fait, sa possibilité au monde entier ?

L'entrée dans le Conseil œcuménique des Églises serait-elle une étape décisive pour un témoignage unanime des chrétiens dans le monde, par exemple en face de la « sécularisation » (B 14), ou vis-à-vis des grandes organisations internationales (A 51) ?

B. L'aspect pastoral.

Il est fondamental dans cette étude (B 28). Il conviendra donc d'éduquer progressivement les membres de l'Église romaine à cette idée du *membership* : les Églises locales, qui doivent comprendre qu'elles seront concernées en elles-mêmes (et pas seulement le Saint-Siège), si elles deviennent membres du Conseil œcuménique des Églises, comme les laïcs, habitués de longue date à des collaborations interconfessionnelles concrètes, et qui se demanderont peut-être pourquoi le *membership* suscite encore tant de difficultés (A 34).

C. L'aspect administratif.

1. *Les conditions d'entrée.*

Il faudrait savoir si une Église peut appartenir au *fellowship* des Églises du Conseil œcuménique des Églises sans avoir le statut de membre (A 12), ou en pratiquant d'autres formes d'engagement non structurées. La situation n'étant d'ailleurs pas la même selon que l'Église romaine devient membre du Conseil œcuménique des Églises en tant que telle (C 13, 1) ou par l'intermédiaire de ses Églises locales (C 13, 2), étant entendu qu'on ne peut demander au Conseil œcuménique des Églises de créer de nouvelles structures à l'occasion de cette entrée des catholiques romains.

2. *Étude des structures administratives du Conseil œcuménique des Églises.*

a. Structures du Conseil lui-même : l'entrée de l'Église romaine devrait être pour le Conseil œcuménique des Églises l'occasion d'alléger, et non pas d'alourdir, ses structures, de les rendre plus ouvertes et réformables (B 37). Une collaboration provisoire et expérimentale pourrait-elle d'ailleurs précéder l'engagement définitif (B 8) ? Le

Conseil œcuménique des Églises lui-même est-il prêt à laisser place, dans ses déclarations publiques, à une certaine diversité (A 18) ? Cette étude de structures n'oubliera pas « qu'autre est l'organisation d'une Église, autre celle d'un groupe à travers lequel des Églises sont en rapport » (C 1). Deux considérations symétriques sont importantes : partir des structures du Conseil œcuménique des Églises pour en voir les conséquences sur une Église romaine devenue membre (C 2), et réciproquement renforcer les structures du synode des évêques, en face de la Curie, pour augmenter sa représentativité et sa signification œcuménique (C 34).

b. Structures des organismes liés au Conseil œcuménique des Églises : des éléments de comparaison pourraient être obtenus à partir de l'analyse des structures des autres familles confessionnelles (Communion anglicane, Fédération luthérienne mondiale), dans leur rapport au Conseil œcuménique des Églises (C 9), notamment en ce qui concerne leur indépendance ou leur réduction à l'unité (C 16). Pour ces Églises ou ces Confessions, que signifie le *membership* dans le Conseil œcuménique des Églises (C 50) ?

3. *Étude parallèle des structures internes de l'Église catholique romaine.*

a. Structures régionales : l'entrée de l'Église catholique romaine au Conseil œcuménique des Églises impliquant aussi une participation au niveau régional (B 39), on peut se demander si le *membership* pourrait être basé sur les conférences épiscopales, ou sur une « association mixte » formée par ces conférences avec le Saint-Siège (A 24), la représentation des conférences, en raison de leur grand nombre, se faisant par régions ou continents (A 32), si l'actuel statut du Conseil œcuménique des Églises permet ce « *membership* par régions » (A 38). Les conférences continentales d'Églises « patronnées » par le Conseil œcuménique des Églises sans en être membres se développent d'ailleurs beaucoup (C 19), parce qu'elles représentent des régions culturelles entières (C 20). La remarque du pape, à Genève, sur le *membership* ne joue d'ailleurs peut-être pas de la même façon au plan local (C 26) et n'empêche sans doute pas que des Églises locales puissent entrer dans les conseils nationaux du Conseil œcuménique des Églises (C 14).

b. Structures nationales : les conférences épiscopales nationales possèdent des structures souvent plus proches de celles du Conseil œcuménique des Églises que de celles de la Curie romaine (C 11). Étudier ces structures aboutirait à se demander si le titre « national » est toujours déterminant et absolu pour l'entrée dans le Conseil œcuménique des Églises (A 42, 43).

Ce principe national est-il d'ailleurs bien chrétien, et ne devrait-on pas, à cette occasion, en faire la remarque au Conseil œcuménique des Églises (A 44) ?

En conclusion, l'expérience des conférences épiscopales en Europe fournirait sans doute d'utiles éléments de réflexion et de jugement (B 32) ; mais la décision d'appartenir ou non au Conseil œcuménique des Églises pourrait-elle être laissée à chaque conférence nationale (A 25) ?

4. *Influence sur la Curie romaine.*

L'entrée de l'Église catholique romaine dans le Conseil œcuménique des Églises aura des répercussions non seulement sur les structures du Conseil œcuménique des Églises, mais aussi sur celles du Saint-Siège (C 4). Les congrégations romaines, par exemple, pourraient-elles devenir alors membres des départements du Conseil œcuménique des Églises (A 48) ? La Sodepax subirait-elle des changements (C 51) ?

En tout état de cause, il faudrait éviter que la Curie retarde l'examen sérieux du problème sous le prétexte que le *membership* n'est pas encore réalisé sur le plan local (C 27). Si on ne trouve pas dans la Curie les organes compétents pour assurer la collaboration avec le Conseil œcuménique des Églises (C 3), il conviendra peut-être de les créer.

5. *Aspects financiers.*

L'ensemble du problème comporte un aspect financier, difficile à résoudre (B 40). Le Saint-Siège ne peut entretenir deux « curies » (A 60), pas plus que les conférences épiscopales ou les Églises locales participer facilement au budget du Conseil œcuménique des Églises (A 60, 1). Or il faudra bien non seulement recruter, mais rétribuer le staff catholique à Genève (C 53).

III. Les méthodes : comment faire progresser cette étude ?

A. Perspective de l'étude.

Le groupe de travail devra se souvenir de la nécessité pour l'Église catholique romaine d'être exigeante, à raison de sa responsabilité, de sa mission et de son ecclésiologie. C'est une question d'honnêteté (A 56).

Conscient des importantes conséquences sociologiques et pastorales du problème (B 28), il saura prendre en considération la situation présente du monde et la nécessité d'un témoignage commun (A 57), en même temps qu'il visera, en prospective, ce que sera l'Église dans le monde futur (B 7).

Il faudra élucider la signification théologique et pastorale de la non-participation actuelle de l'Église au Conseil œcuménique des Églises (B 11), et, tout en restant empirique et concret, travaillant à partir de la vie même de l'Église (B 30), bien expliciter les motivations théologiques, qui n'apparaissent pas toujours à la Curie et à de nombreux évêques (A 58).

Enfin, le travail peut se mener à partir des « problèmes » ou à partir des « structures » (C 8), celles qui existent déjà, et celles qui se créeront (C 2).

B. Documentation à rassembler.

On prendrait pour *base* l'ensemble des relations déjà existantes entre l'Église romaine et le Conseil œcuménique des Églises (A 14), en observant aussi certaines *absences* de relations (C 18).

Puis on s'informerait des structures du Conseil œcuménique des Églises et du travail de son Comité pour la réforme de ces structures (B 1), en prêtant attention aux structures internes, au statut constitutionnel des Églises membres (C 10), au statut des familles confessionnelles (C 15), à celui des organisations qui ne sont pas Églises (C 17) et aux structures de relations entre Conseils nationaux, régionaux, et le Conseil œcuménique des Églises (C 33).

On mènerait ensuite une enquête sur *l'influence réelle* actuellement exercée par le Conseil œcuménique des Églises dans le monde contemporain, et sur l'ensemble de la situation œcuménique, pour aboutir à une estimation lucide de cette action (B 5) et notamment de l'influence exercée par le Conseil œcuménique des Églises sur les Églises non catholiques récemment entrées au Conseil (C 12).

Les départements du Conseil œcuménique des Églises (par ex. Foi et Constitution) exercent-ils des influences directes (B 33) ? Qu'en pensent les Églises catholiques déjà membres des Conseils nationaux du Conseil œcuménique des Églises (A 39) ? Comment travaillent les conférences épiscopales et les organismes caritatifs qui collaborent déjà avec les Conseils d'Église (A 59) ? Avec quels résultats (B 31) ? En en tirant quelles leçons d'expérience (C 22) ? Le passage d'une présence dans une commission mixte à un état de pleine participation a-t-il apporté quelque chose de plus (C 25) ? Qu'ont fait les conférences épiscopales en matière de collaboration, et dans quels domaines précis (C 46) ? Y a-t-il des enseignements à tirer de la collaboration entre la conférence des évêques européens et la conférence européenne des Églises (C 36) ?

Il faudrait également analyser l'expérience des autres communions chrétiennes qui ne sont pas encore membres du Conseil œcuménique des Églises, par ex. des Églises luthériennes (A 40), et celle, vieille de vingt ans, des organisations catholiques internationales (C 49).

C. Directives d'action.

On en distinguerait quatre :

a. *Un travail à l'échelon local.*

Il conviendrait de recommander et d'intensifier les collaborations entre chrétiens au niveau local (C 23), et de sensibiliser à cette attitude (qui facilitera ensuite la collaboration au sommet), les Églises locales (C 24) et les conférences épiscopales (C 44), en leur rappelant qu'elles accomplissent là une volonté du pape, qui a proposé cette étude et suggéré des domaines de collaboration dans son discours de Genève (C 45). Il faut que ce problème dépasse le cadre du Secrétariat pour l'Unité, et soit pris en considération par le synode et toutes les conférences épiscopales (C 47). Toute participation, étude ou collaboration locale est d'ailleurs une école d'expérience (A 30, B 4).

b. *Une large sensibilisation de l'opinion catholique.*

La perspective et la réalisation de ces collaborations locales doivent faire l'objet d'une information, d'une sensibilisation au problème, portant surtout sur les épiscopats d'Afrique et d'Asie (C 21), sans oublier l'Europe (Conférence de Coire, C 35).

Au plan concret, on envisagerait l'envoi d'un questionnaire à toutes les conférences épiscopales (C 52), en leur demandant de tenir compte, dans la réponse, non seulement de l'opinion des théologiens, mais aussi du *sensus fidelium* (B 34). Il faudrait donc sensibiliser toute l'opinion publique du laïcat chrétien à ce problème, en utilisant toutes les ressources de la presse (journaux et revues) (B 2), et même en organisant une consultation du laïcat. Centres œcuméniques, théologiens et principaux experts seraient, bien entendu, également consultés (B 36).

c. *Une sensibilisation plus spéciale de la Curie romaine.*

Il semble que la Curie romaine devrait prendre très au sérieux le discours de Genève, et étudier soigneusement la question du *membership* (C 28). Elle le fera d'autant mieux qu'on l'informera davantage (C 29) et que les chefs de dicastères seront tenus au courant des formes de collaboration œcuménique régionales et continentales (C 37). L'idéal serait que la Curie commence à « penser œcuméniquement » (C 41). La plénière annuelle des Congrégations offre des ressources pour cette sensibilisation des milieux romains (C 42), et pourrait recevoir des informations sur l'activité œcuménique, que le Secrétariat pour l'Unité des chrétiens a vocation toute spéciale à lui fournir (C 43). Les congrégations romaines ne pourraient-elles même aller jusqu'à jouer entre elles le jeu de l'association, qui leur fournirait pour la suite une expérience valable (A 49) ?

d. *Une sensibilisation parallèle du synode des évêques.*

La proximité du synode de 1969 permettrait-elle encore d'introduire à son ordre du jour le problème de « la répercussion de l'engagement œcuménique des Églises locales sur la Curie romaine » (C 30) ? Si ce n'est plus possible, il faudrait au moins que le synode soit sérieusement sensibilisé à ce problème (C 32), et qu'on lui fournisse les rapports et instruments de travail nécessaires (C 38), lui permettant, s'il le désire, de prendre lui-même une décision de principe sur la question (A 33).

D. *Urgence et rythme du travail.*

Il ne semble pas possible d'avoir terminé cette étude, et donc de fournir une réponse à la question posée d'ici douze mois (A 54). Mais l'étude elle-même devrait être inscrite dès maintenant au programme de la réunion plénière du Secrétariat (1969) et à celui des commissions œcuméniques régionales (B 6).

Rome, 10 juillet 1969

ADDENDUM

Le Groupe de travail ayant écarté de sa synthèse quelques points mineurs ou qui faisaient double emploi, il n'a pas été jugé nécessaire de les réintroduire dans ce rapport. On les indique cependant ici, à toutes fins utiles.

Document A.
13. Sur le *fellowship* non structuré. Voir A 12.
22. Réciproque, pour le Conseil œcuménique des Églises de la suggestion 21 : nécessité de se consulter.
45. Certains point de structure interne du Conseil œcuménique des Églises ne nous concernent pas.
47. « Avantages » de l'entrée, pour les problèmes

jeunesse, non-chrétiens, non-croyants et plus large audience du témoignage commun.

53. Influence sur le problème des mariages mixtes.

Document B.

9. D'autres formes de collaboration existent, outre l'entrée officielle au Conseil œcuménique des Églises.

16. Sur le statut nouveau du pape. Voir A 16, B 24, et B 25.

17. À propos d'une définition du Conseil œcuménique des Églises.

23. Problème des conséquences du *membership* : voir A 21.

26. Influence sur la Curie romaine : voir A 21.

27. Conséquences pour la liberté de l'Église : voir A 15.

Document C.

5. Sur la collaboration entre Curie et départements du Conseil œcuménique des Églises : voir A 48.

6. (Proposition abandonnée).

39. Création de « structures de sensibilisation ».

40. Sur l'expérience du travail quotidien : voir C 23, 24.

48. Sur l'esprit de collaboration concrète : voir A 30, B 4.

ANNEXE III
COMPTE RENDU DE LA RÉUNION
DU GROUPE MIXTE DE TRAVAIL
(NAPLES, MAI 1970)

Note introductive.

En réalité, le Groupe mixte de Travail, en sa dixième séance, à Naples, du 25 au 30 mai 1970, avait sept points à son ordre du jour, dont certains étaient d'une grande signification. Seul le deuxième point, qui concerne « l'adhésion de l'Église catholique au Conseil œcuménique des Églises » nous intéresse ici et se trouvera reproduit en cette annexe.

Grâce à une lettre d'accompagnement du secrétariat du Dr E. C. Blake adressée au père J. Hamer, nous savons que ce compte rendu porte la date du 13 juillet 1970.

La réunion de mai 1970 présente une importance particulière du fait qu'à nos yeux elle signifie en quelque sorte le point culminant de ce que nous avons appelé la phase ascendante de notre dossier. Et ceci même si quelques membres du Groupe mixte de Travail font dès le début des réserves expresses quant à la tendance positive du rapport du Comité des Six.

Deux interventions de source catholique méritent de retenir notre attention. En premier lieu le projet de calendrier défendu par le père J. Hamer qui esquisse six étapes rapides pour aboutir dès octobre 1971 au synode des évêques, qui aurait à se prononcer sur le rapport *membership*. Ce n'est qu'une petite minorité du Groupe qui tient à souligner la nécessité de laisser encore mûrir paisiblement la question et d'éviter toute nervosité.

En second lieu la longue intervention du cardinal J. Willebrands qui justifie une attitude réservée sur quelques points sensibles : la nécessité de traiter davantage le besoin de restructurer le Conseil des Églises ; de se préoccuper davantage de la préparation des fidèles ; et enfin le risque de voir le Comité central prendre des décisions avant même que le partenaire catholique ait pris position. Le cardinal craint que trop de hâte dans cette affaire contribue à la crise du mouvement œcuménique actuelle. Ces points sensibles vont dans l'avenir immédiat s'avérer être des facteurs d'échec. Ainsi, l'intuition de Willebrands sera par la suite vérifiée.

En passant, on peut noter le contraste entre le cardinal Willebrands et le père Hamer, alors que le premier préside le Secrétariat pour l'Unité et que le dernier en est le secrétaire.

Le changement d'atmosphère au lendemain de la réunion de Naples peut se mesurer au fait que certains membres qui à Naples avaient été critiques à l'égard de l'attitude assez négative du cardinal Willebrands, découvrent quelques semaines plus tard qu'il n'y a pas seulement des « mauvaises raisons » pour s'opposer au *membership*. Ceci est notamment le cas de dom E. Lanne, qui fait partie du groupe rédactionnel des Six. C'est après la réunion de fin mai 1970 que le père Lanne craint que certains dirigeants de Genève cherchent à faire adhérer l'Église catholique afin de pouvoir supprimer graduellement les nombreux organes mixtes qui fonctionnent à l'époque entre Rome et Genève. Pareille suppression pourrait entraîner une diminution de l'influence de l'Église catholique, alors qu'à elle seule elle représente la « moitié » de la chrétienté, selon la formule consacrée.

Texte du document.

JOINT WORKING GROUP
between
THE ROMAN CATHOLIC CHURCH
AND THE WORLD COUNCIL OF CHURCHES
10th meeting, Naples, Italy May 25-30, 1970

Members present :

Cardinal J. G .M. Willebrands   Rev. Dr. Eugene C. Blake
Archbishop Maxime Hermaniuk   Dr. Lukas Vischer
Archbishop Bernardin Gantin   Archpriest Vitaly Borovoy
Bishop Thomas Holland   Dr. Erwin Espy
Bishop J. L. Bernardin   Dr. José Miguez-Bonino
Mgr Joseph Gremillion   Dr. Nikos Nissiotis

Mgr Jean Rodhain
Mgr Ignacy Rozycki
Mgr Charles Moeller
Fr. Jérôme Hamer
Fr. Pierre Duprey

(Apologies received from :
Miss Maria del Pilar Bellosillo)

Metropolitan Parthenios-Aris
Canon David M. Paton
Fr. Paul Verghese

(Apologies received from :
Dr. André Appel
Mrs. Liselotte Nold
Prof. Edmund Schlink)

Present in another quality than members :

Miss R. Goldie
Mgr C. Bayer
Mgr B. Law
Dom E. Lanne
Fr. J. Long
Fr. B. Meeking
Sr. M.-S. Cuppen
Miss M. van Wayenburg
Miss L. Romiti

Mr C. I. Itty
Rev. A. Brash
Miss I. Friedeberg

Sessions were chaired alternately by
Mgr J. L. Bernardin and Dr. J. Miguez-Bonino

Cardinal Willebrands opened the session and informed the members of the Joint Working Group of an exchange of letters with Dr. Blake, by which both of them announce their resignation from the chairmanship of the Joint Working Group. The proposed co-chairmanship for the present meeting : Mgr Bernardin and Dr. Miguez-Bonino, was agreed upon by the members. Dr. Nissiotis and Mgr Holland expressed appreciation and thanks to Card. Willebrands and Dr. Blake on behalf the Group.

1. MINUTES (Doc. 1)

After a short discussion the minutes of the last JWG meeting in Gwatt, May 12-17, 1969 were adopted.

2. ROMAN CATHOLIC MEMBERSHIP IN THE WORLD COUNCIL OF CHURCHES (Doc. 3)

Fr. Long gave an over-view of the report and pointed to some specific topics for discussion. He drew attention to the three questions in the Prefatory Note which are basic for the acceptance of the present report on Membership. The

Introduction to the document presents three possible procedures for deepening the relationship between the Roman Catholic Church and the World Council of Churches :

a. The Roman Catholic Church might enter into membership of the World Council of Churches

b. A new fellowship of Churches might be created with a different status

c. Co-ordinated work could be organised between the World Council of Churches and the Roman Catholic Church

The Membership document, following the decision of the Joint Working Group at Gwatt (see Doc. 1, Minutes Gwatt, Appendix, p. 2), suggests that membership may be the best way to serve the one ecumenical movement. Fr. Long put before the Group the question of the *mode* of Roman Catholic membership, which must represent both the hierarchy and the varied membership of the local churches. Other problems raised by possible membership, are those of authority and papal primacy.

Dr. Vischer likewise stressed the importance of the three questions in the Prefatory Note, and raised the question of the use that is to be made by the Joint Working Group of this report.

Dr. Espy expressed his appreciation to the authors of the report, welcomed the general tendency of it, and asked for some clarifications on the procedure of this meeting with regard to the report.

Mgr. Holland stated that the priority, given to membership in the report, is correct in relation to the Minutes of the Gwatt meeting, but stressed that he had not been in agreement with this priority. His preference would have been for a report with more extended consideration of all three possibilities for future Roman Catholic Church / World Council of Churches relationship.

Metropolitan Parthenios expressed his agreement with the Gwatt decision to give priority to the possibility of membership. Canon Paton stressed the urgency of definitely structured relationships, but asked at the same time for the continuation of informal non-institutionalised contacts.

Fr. Borovoy agreed with Mgr. Holland that membership should not be made the test of ecumenical sincerity. The criterion is the service of the ecumenical movement. Fr. Borovoy pleaded for option c. which might lead to option a. Option b. is the very last possibility, because the history of the secular institutions teaches us rather to develop and perfect what already exists rather than to destroy and rebuild from the beginning.

Fr. Verghese expressed appreciation for the clear and full report. Although he agreed that membership is not the test of the sincerity of the ecumenical movement or the success of the Joint Working Group, he thinks Roman Catholic membership is a need at this moment. He asked that the document be improved by elaborating the three options, although a. is the real option before us. Since a. is not an immediate possibility, intermediary structures should be foreseen till membership will be a reality. Mgr. Hermaniuk agreed that the document should explain more why a. is the best solution. He is in favour of a.

Mgr. Law underlined that the Sub-commission for the report did not choose option a. ; it gave priority to a. and worked out a report within this hypothesis. A responsible decision though had to be taken afterwards, when the finished document would show from the arguments whether a was really a possibility or not. Mgr. Law referred to the crucial sentence on p. 6 : « This report does not prejudge this decision which must be determined by no other consideration than the service of the one ecumenical movement. »

Fr. Hamer thought that the Episcopal Conferences, consulted on this report containing the elaboration of one of the three options, might return with the question for clearer information about the two remaining possibilities.

Mgr. Gremillion approved of the priority given to membership, but also wanted a wider and integral study of all three possibilities. On the reasons for membership in the World Council of Churches much more could be said than the spare sentences of appreciation for the World Council of Churches at p. 4 (bottom). He suggested that this document be issued as a study paper of the Joint Working Group.

Mgr. Rozycki commented that priority in this case has become exclusivism ; the report is incomplete, and the conclusions have turned out to be against the raison d'être of the Joint Working Group.

Cardinal Willebrands expressed his appreciation of the report. He remarked that the Sub-commission, having worked on the presumption that membership is both possible and desirable, had probably gone beyond its task. He felt furthermore that in the general approach to the role of the World Council of Churches, its possible need of restructuring had not been dealt with sufficiently. Nor had enough consideration been given to the preparation of the faithful. A more spiritual context for the report was desirable. The Cardinal was not in favour of option b. because the rich experiences of the World Council of Churches already exists. The Cardinal saw a problem in submitting the Membership report to the Central Committee, which might act decisively upon it, before the Roman Catholic Church would have decided to make an application for membership. The discussion in the Central Committee should not bind the Roman Catholic Church beforehand to act in one way or another. The Cardinal pointed to the impatient desire for unity in this so-called « post-ecumenical era », an impatience which causes a real crisis in the ecumenical movement. He advises care with regard to a too wide circulation of the present report, as a public discussion on the subject might have a negative effect.

Mgr. Rozycki suggested that the report should be less dogmatic in its thinking. More care should be given to the pros and cons of membership.

Fr. Hamer gave three concrete proposals for a new fellowship (option b.) : 1. A fellowship of World Confessional Families ; 2. A fellowship of National Council of Churches ; 3. A fellowship of various ecumenical movements or personalities.

Metropolitan Parthenios, Fr. Borovoy and Fr. Verghese proposed that options (c) and (a) might be related to each other as stages in the movement to membership. Option (b) was not to be considered as a real alternative. Fr. Duprey thought that options c., a. and b. could be related as three consecutive stages of the same thrust towards structured relationship. Fr. Verghese stressed that membership should not be seen as the objective but as the starting point for the ecumenical movement.

Basic AGREEMENT was expressed on the correctness of the *priority* given to membership in the present report, and on the need of further *elaboration* of the pros and cons of all three options.

It was DECIDED, as a provisional procedure, that the Sub-commission should redraft the report in the light of the comments from the present discussion.

Mgr. Moeller asked for clarification about the intention of the report. He proposed its context be the giving of « common witness », witness to a new generation it its desperate search for a final meaning to life, which could be found in Jesus, the man for others.

Dr. Blake expressed fear that the report and the present discussion were too exclusively concerned with organizational matters without really caring about the spiritual aspect of the question whether the Roman Catholic Church should join the World Council of Churches or not.

It was generally AGREED upon that the report needed a more spiritual context, which either could be built in, in order to give the document an independent existence, or could be provided by cross-references to other documents as « Common Witness » and « Catholicity and Apostolicity ».

The discussion turned to the problem of authority, the very nature of the World Council of Churches and of papal statements, and the corresponding ecclesiological and spiritual differences.

Dr. Blake stressed that the World Council of Churches did not claim an ecclesiological indifference, but also that the criterion for any authority was to be sought in its reflecting the Gospel. He gave assurance that an application for membership by the Roman Catholic Church would not receive a negative reaction from the World Council of Churches.

Cardinal Willebrands regretted that the feeling of incompleteness is stronger in the World Council than in the Roman Catholic Church, and wished Roman Catholics to be more aware of the benefits of being together with other ecclesial communions. The Cardinal gave his reflections on a possible *procedure* in the membership question in the Roman Catholic Church, and pleaded for freedom and time for Roman Catholics to come to a decision. Therefore, he proposed to inform the Central Committee by means of a summary of the membership report. The Episcopal Conferences should not get their information about the full document from the press, in reports on the Addis Abeba meeting of the Central Committee (January 1971). Rather they should see the document before the Plenary session of the Unity Secretariat in November 1970.

This was generally agreed upon, but it was stressed also that there was a growing necessity to give full information to all sides at this time. People know about the discussions going on and should be well informed.

Dr. Blake urged that information on the Secretariat for Promoting Christian Unity Plenary comments should be available to the Central Committee before its meeting at Addis Abeba.

Fr. Hamer proposed the following time-table :

1. Membership document finished in the meeting of the Drafting Committee, June 19-21, 1970.

2. SPCU [Secretariat for Promoting Christian Unity] sends the full document *ad informationem* to the Episcopal Conferences, which presupposes the permission of the Holy Father.

3. SPCU Plenary, November 1970 ; document presented to the Holy Father early December 1970.

4. Publication of the document at Addis Abeba, January 1971.

5. The Episcopal Conferences are asked to comment on the document, before July 1971.

6. Questions submitted to the Bishops' Synod, October 1971.

Although this proposal was generally welcomed as a clear and realistic one, some stressed the need for a slow ripening of the question both on World Council of Churches and Roman Catholic side (Bishops' Synod 1973 ?). Nervousness should be avoided.

It was DECIDED

1. (provisionally) that the third Report of the Joint Working Group contain an Introductory Statement and four documents appended to it : Membership, Common Witness and Proselytism, Catholicity and Apostolicity, and a Survey of Activities.

2. that the paper on Membership be appended as a study document to the Introductory Statement to the third JWG Report.

3. that a Minute be drafted on the substance of the JWG comments on the Membership document.

4. that an Introductory Statement be drafted.

After the extended discussion on the possible use of the document and connected procedural questions, the discussion turned back to the contents of the document.

Mgr. Holland spoke to the fundamental problem of authority in the Roman Catholic Church. How can papal authority, which is *iure divino*, be brought into an organization with a democratic constitution ? Even when the World Council of Churches states that it is not a Church (or a Super-Church), one receives the impression that there is some kind of ecclesiological reality in it. How is the strongly centralized Roman Catholic Church to join this World Council of Churches ? What will be the standing of joint statements by the World Council of Churches and the Roman Catholic Church ? Confusion might be created when the Holy Father finds himself unable to agree with World Council of Churches statements.

From the discussion the conviction emerged that, as in the case of the Orthodox Churches, the Roman Catholic Church, by joining the World Council of Churches, would not be obliged to abandon its own conception of authority or its own ecclesiology (Fr. Verghese). Member churches are not put under the authority of the World Council of Churches ; all Christian churches are equally put under the authority of Christ.

The question of the mode of membership in the World Council of Churches was raised. Dr. Vischer explained that the World Council of Churches membership was not based only on the principle of national churches : the World

Council of Churches accepts churches on the level at which they are able to take responsible decisions, i.e. as autonomous, not as national churches. Several levels (national and international) might be needed to involve one church. The new development in the Roman Catholic Church regarding the importance of the local churches coincides with this situation.

Difficulties were expressed about possible « two-level membership », and the way of voting in the Assembly which this would entail. A distinction was made between the one membership of the one and unique Roman Catholic Church, and the exercise, the representation of this membership through the Episcopal Conferences.

Dr. Vischer indicated that a similar structure of membership was found in the Evangelical Churches in Germany (Lutheran Federation of Churches and *Landeskirchen*).

Fr. Borovoy insisted upon the responsibility of the Roman Catholic Church upon the best structure of its membership. He stressed that, although the practical implications were very important, the most critical question at this stage was : has, or has not, the Roman Catholic Church theological hesitations about joining the World Council of Churches ? Mgr. Moeller in his comment indicated such existing hesitations are not insuperable.

Mgr. Holland argued that one most unwelcome effect of membership in the World Council of Churches would be the multiplication of papers and meetings for already overworked bishops. He proposed that the Holy See should depute one of its organisms to become the common point of the relation between the World Council of Churches and the Roman Catholic Church.

At a later session the Group was given :
A. The Drafted Minutes on the Membership document and
B. the draft of an Introduction to the third Joint Working Group Report.
A. There was considerable discussion on the *Drafted Minutes on the Membership document* (see Appendix 2).

Mgr. Holland expressed his substantial disagreement with A1, and thus with the priority given in the document to membership. The discussion turned to the question of whether the Membership document, being a *study* document to and from the Joint Working Group, was allowed to take a position in the matter. It was generally *agreed* that although the document needed to give a fuller presentation of the options b. and c., it need not hold to a neutral position. As an aid to study it should indicate what seemed to be the best solution. Moreover the Gwatt meeting had been in favour of this decision.

Several remarks on style were made in the discussion on part B of the Drafted Minute. A different understanding of the term *koinonia* emerged : had the term sacramental connotations or not ?

It was DECIDED
1. that the alternative wording of A1 would read : « There is need for a more balanced approach. The objections and hesitations expressed by some members of the Joint Working Group to all three options should be clearly stated. The report should make clear that the study document is not meant to prejudge the decision of the Roman Catholic Church on the different options. »
2. that to A3 should be added : « without repetition of the thoughts included in the general Introduction to the various documents presented to the authorities. »
3. that the Drafting Committee on the Membership document be allowed to indicate lines of response to the options.
4. that the Membership document be revised at the next meeting of the Drafting Committee, on June 19-21, 1971, and that it be sent to the members of the Joint Working Group in order to receive their comments with as little delay as possible. At the Officers' meeting (August 1970) the document will be approved in its definite form.

The Drafted Minutes on the Membership document were accepted by the Group with the agreed revisions and clarifications.

B. The *first draft* of the *Introduction* to the third Report of the Joint Working Group was returned to a new drafting Committee, with critical remarks on the ideas and the lack of concreteness of the present paper. The *second draft* was criticized for its specificity, its lack of theological substance and the rhetorical style. Neither of the two drafts was a realistic introduction to the work of the Joint Working Group.

Fr. Duprey read a new and shorter Introduction and it was *agreed* that this would be the basis for the third version of the Introduction, which was to be preceded by a historical reference and a brief statement on unity (see Appendix 3). It was felt, however, that the world-problems, raised in the second draft, needed serious study at the next meeting of the Joint Working Group (Canon Paton was invited to submit a written proposal to the Officers' Meeting).

Mgr. Moeller brought forward the following written proposal :

At various meetings of the Joint Working Group the proposal has been made that a meeting of the highest representatives of the various Churches should be organized, in order to give visible expression either to the concern of unity, or the common commitment to the cause of peace, or to the common witness to the Gospel. This proposal is now being renewed and the Joint Working Group recognizes that it needs to be studied in all its aspects and details.

The proposal was generally welcomed and supported, but some hesitations were also expressed. A meeting of Church leaders might have the opposite effect especially since a large number of Christians, because of their form of Church government, do not recognize themselves in their leaders (Dr. Vischer). Further it could be asked : *who* are to be regarded as spiritual leaders of the various Churches ? The proposal needs serious study, and it was AGREED that it be on the agenda of the next meeting of the Joint Working Group.

ANNEXE IV
« COMMENTAIRE » DU CARDINAL WILLEBRANDS
PRÉSENTÉ À LA *PLENARIA* DU SECRÉTARIAT POUR L'UNITÉ
(ROME, NOVEMBRE 1970)

Note introductive.

Ainsi que l'intitulé officiel l'indique, ce « Commentaire » concerne le rapport du Groupe mixte de Travail concernant le *membership* éventuel de Rome, sous le titre « Types de relations entre l'Église catholique romaine et le Conseil œcuménique des Églises ».

Ce projet de texte présenté à Naples en mai avait intégré un certain nombre d'amendements au cours de l'été à la suite des délibérations de Naples. Pendant un certain temps, il fut difficile de situer avec exactitude la fonction de ce « Commentaire ». Cela provenait principalement de témoignages contradictoires : selon les uns, ce « Commentaire » aurait été rédigé après la *Plenaria* de novembre 1970, selon d'autres il avait été à l'ordre du jour de cette même *Plenaria*.

Aujourd'hui, nous savons avec certitude que le texte en question fut bien le point principal soumis à la discussion de novembre 1970. Il paraît aussi établi que la source principale du « Commentaire » provient de la consultation préparatoire organisée à Rome du 27 au 30 octobre 1970.

Malgré l'apport capital de cette consultation préparatoire, nous retrouvons aux passages clés du « Commentaire » et de manière évidente la « griffe » propre de Jan Willebrands : ainsi, à la rubrique III « Le critère principal » (« Comment mieux servir l'unique mouvement œcuménique ? »), ainsi à la rubrique IV « Le rapport du Groupe mixte de Travail » (la question du *membership* doit être décidée par la seule Église catholique).

Quant au paragraphe 3 (« L'engagement actuel des Églises membres du Conseil ») et au paragraphe 4 (« La part prise par les catholiques... ») de la rubrique V (« Quelques questions fondamentales »), on y retrouve entièrement les passages A3 et A4 du document de la consultation. C'est à la fin de cette rubrique V qu'apparaît la requête principale que la *Plenaria* va prendre à son compte en l'approuvant.

Après avoir fait allusion aux tensions actuelles à l'intérieur de l'Église institutionnelle de Rome, le texte conclut : « Ces tensions peuvent, en fin de compte, se révéler créatrices ou, au contraire, être déjà des facteurs d'accélération d'une crise. L'influence de l'engagement œcuménique sur ces tensions devrait faire l'objet d'*une étude supplémentaire* ; celle-ci est demandée tant par le *réalisme pastoral* que par la *responsabilité œcuménique* » (c'est nous qui soulignons).

Le vote qui aura lieu à cet égard à la fin de la *Plenaria* indique que celle-ci ne s'est pas prononcée sur l'adhésion même de Rome au Conseil de Genève mais en faveur de la poursuite de l'étude de cette question.

Dans la préface du rapport définitif « Patterns of relationships », publié dans *The Ecumenical Review* de juillet 1972, le cardinal Jan Willebrands et le Dr E. Carson Blake déclarent qu'un article à paraître plus tard aura soin d'expliquer les sérieuses réserves de la *Plenaria* du Secrétariat pour l'Unité à l'égard du document final. Selon les renseignements autorisés que le Secrétariat romain m'a transmis personnellement en octobre 1988, cette publication n'avait pas eu lieu…

Nous avons quelques présomptions à croire que le « Commentaire » du cardinal J. Willebrands, que nous publions ici pour la première fois, correspond en effet à « l'article » dont la publication fut promise en vain à l'époque par le président du Secrétariat romain.

Texte du document.

PLENARIA 1970
secr. nov. 70 : 180
(texte anglais : 179)
COMMENTAIRE GÉNÉRAL
SUR LE RAPPORT DU GROUPE MIXTE DE TRAVAIL :
« TYPES DE RELATION ENTRE L'ÉGLISE CATHOLIQUE ROMAINE ET
LE CONSEIL ŒCUMÉNIQUE DES ÉGLISES »

I. Importance de la question.

La question d'un lien plus organique (peut-être sous la forme du *membership*) entre l'Église catholique romaine et le Conseil œcuménique des Églises est une question importante. Elle implique la question plus profonde de l'unité du mouvement œcuménique.

Le mouvement œcuménique peut être considéré à deux niveaux. Il y a tout d'abord le mouvement œcuménique, mouvement dynamique de l'Esprit qui appelle tous les chrétiens à l'unité dans la foi, l'espérance et l'amour. Le mouvement œcuménique, en tant que système de relation manifesté dans des structures, cherche à donner une expression à ce mouvement de l'Esprit et à le promouvoir.

L'ÉGLISE CATHOLIQUE reconnaît qu'il y a un seul et même mouvement œcuménique auquel prennent part tous les chrétiens en vertu de leur commune vocation par le Baptême. L'unité du mouvement œcuménique est en premier lieu celle du mouvement dynamique du Saint-Esprit. Mais les chrétiens doivent s'efforcer de doter ce mouvement d'une expression visible d'unité pour autant que cela est possible dans le monde d'aujourd'hui, étant donné les divisions qui existent encore entre eux.

Au sein du mouvement œcuménique il y a place pour une structure organisée qui vise à promouvoir le travail en faveur de l'unité chrétienne par la prière, l'étude et la coopération.

Nous sommes heureux de remarquer que le but ultime de l'unité ecclésiale reçoit une attention spécifique dans le rapport du Groupe mixte de Travail qui reconnaît aussi que le Conseil œcuménique des Églises cherche à se disposer pour une unité qui le transcende lui-même. (Voir page 4, 1. 51-62 ; p. 10, 1. 22-54.)

II. Le contexte de la question.

La coopération entre l'Église catholique et le Conseil œcuménique des Églises s'est développée à tel point que la question d'établir un lien plus organique entre eux, peut-être sous la forme de *membership*, est devenue une question qui se pose effectivement. (Voir Rapport du Groupe mixte de Travail, p. 3, 1. 1 – p. 4, 1. 15 ; p. 15, 1. 3-26.)

Discuter cette question constitue donc une responsabilité œcuménique pour l'Église catholique romaine. Cette responsabilité requiert que la question soit discutée à tous les niveaux de la vie de l'Église.

III. Le critère principal.

La réponse à cette question doit dépendre de facteurs très divers. Mais, le critère qui, au terme de la discussion, doit permettre de donner une réponse doit être un critère positif : Comment pouvons-nous mieux servir l'unique mouvement œcuménique ? Est-ce que le *membership* ou le non- *membership* de l'Église catholique romaine sera, pour cette Église, la contribution la plus constructive à donner au mouvement œcuménique ? Si l'Église catholique choisit de faire acte de candidature – ou de n'en pas faire acte – ce choix devrait être fait dans le but de servir le mouvement œcuménique.

Faire acte de candidature devrait être, pour l'Église catholique romaine, un acte œcuméniquement responsable. Il ne devrait pas être décidé par la voie d'une simple élimination des difficultés qui y barrent la route. L'absence de raisons contre n'est pas, en soi, une raison positive en sa faveur. La question doit être décidée à la lumière du plus grand service (à rendre) au mouvement œcuménique auquel, en commun avec tous les chrétiens, l'Église catholique se voit elle-même appelée par le Saint-Esprit.

Si la question reçoit une réponse affirmative, une autre question se pose, celle du temps de son application. Sera-ce une meilleure contribution au mouvement œcuménique que de faire acte de candidature durant les toutes prochaines années, ou que d'attendre, en y travaillant, à une entrée progressive par un programme d'intégration plus étroite par étapes ?

IV. Le rapport du Groupe mixte de Travail.

La question du *membership* soulève un certain nombre de considérations très importantes aux plans théologique, administratif et pastoral.

Le rapport du Groupe mixte de Travail est un premier pas nécessaire dans l'étude des implications du *membership*. C'est un document mixte et il fournit ainsi une précieuse information sur le Conseil œcuménique des Églises et ses relations actuelles avec l'Église catholique. Il est donc une aide utile pour l'étude des implications d'un système de relations organiques plus étroites entre l'Église catholique et le Conseil œcuménique des Églises sous ses aspects théorique et juridique.

Il ne présente pas une solution au problème mais reconnaît clairement que la question d'une candidature au *membership* du Conseil œcuménique des Églises doit être décidée par la seule Église catholique romaine. Du côté catholique romain l'étude de la question doit continuer de la façon que l'Église catholique jugera la meilleure. L'ÉGLISE CATHOLIQUE peut bien avoir à poser certaines questions au Conseil œcuménique des Églises, mais il faut souligner que la décision finale concernant la candidature au *membership* – et la procédure nécessaire de l'étude préalable à cette décision – repose entièrement dans les mains de l'Église catholique.

V. Quelques questions fondamentales.

Comme on vient de le dire, le rapport est une aide utile pour étudier la question sous ses aspects théorique et juridique. Cela aidera les catholiques à voir comment l'Église catholique peut devenir membre. Cela montre pourquoi les relations existant entre l'Église catholique et les autres Églises devraient continuer à se développer.

Mais là où il suggère que le *membership* catholique romain dans le Conseil œcuménique des Églises est « la façon la plus réaliste » de toutes celles qu'il a examinées, ce jugement ne peut être accepté – ou rejeté – tel qu'il est ici présenté (p. 29, 1. 51-52). Une étude beaucoup plus complète doit être entreprise avant que l'Église catholique romaine puisse prendre une décision responsable, même provisoire, sur cette question. À cette étude plus complète, le rapport sera une très utile contribution.

Le rapport ne donne pas suffisamment de raisons positives pour lesquelles, dans le moment actuel, le développement des relations entre l'Église catholique et les autres Églises, devrait prendre la forme précise du *membership* dans le Conseil œcuménique des Églises.

Il semble que quatre aspects de la question demandent à être plus profondément étudiés : 1. l'avenir du mouvement œcuménique lui-même ; 2. le développement futur du Conseil œcuménique des Églises ; 3. l'engagement actuel des Églises membres dans le Conseil œcuménique des Églises ; 4. l'actuelle part prise par l'Église catholique dans les activités œcuméniques, spécialement eu égard aux multiples développements qui s'opèrent de nos jours dans cette Église.

1. *L'avenir du mouvement œcuménique.*

La première préoccupation devrait être de supputer l'avenir du mouvement œcuménique et la stratégie commune que les Églises, en association visible, devraient adopter pour guider ce mouvement au moyen de l'étude et de l'action collective.

Bien qu'il y ait accord entre les chrétiens sur l'unicité du mouvement œcuménique, il y a également une tension entre la façon dont l'Église catholique comprend le mouvement œcuménique et la façon dont le comprennent d'autres Églises (ou communautés ecclésiales) qui ne partagent pas son ecclésiologie.

Généralement parlant, il y a trois tendances provenant de l'accent différent placé sur les aspects de l'Église : a. l'Église considérée comme « événement » plutôt que comme « institution » ; b. l'« institution » de l'Église comme communauté de foi composée des baptisés ; c. l'« institution » de l'Église comme communion sacramentelle des baptisés avec l'épiscopat.

L'ÉGLISE CATHOLIQUE voit le mouvement œcuménique comme un mouvement d'Églises (ou de communautés ecclésiales) qui permet à celles-ci de se rapprocher (*grow together*) pour former une (seule) Église, c'est-à-dire une communion sacramentelle de tous les baptisés avec le collège épiscopal.

Cette interprétation du mouvement œcuménique entraîne une vue correspondante de la place des Conseils d'Églises (par exemple le Conseil œcuménique des Églises) dans l'unique mouvement œcuménique.

Si le mouvement œcuménique est un mouvement *d'Églises*, il est au service *des Églises*, les aidant à se rapprocher en progressant vers l'unité chrétienne tout en trouvant et en développant leur commune identité ecclésiale. Il leur permet aussi d'agir œcuméniquement dans le service de l'Évangile et du monde.

Le mouvement œcuménique n'est donc pas un mouvement tendant à transférer à des conseils les fonctions ecclésiales principales des Églises (ou communautés ecclésiales). Du point de vue catholique romain, il est un mouvement *d'Églises* au service *des Églises* pour permettre aux Églises d'être en fin de compte *une* (seule) Église.

Il y a donc, au sein de l'unique mouvement œcuménique, une priorité logique des *Églises* sur les *conseils d'Églises*. Dans l'évolution du mouvement œcuménique, ceci devrait s'exprimer adéquatement en des structures, en des consultations et dans la pratique.

2. *Le développement futur du Conseil œcuménique.*

En réfléchissant sur le Conseil œcuménique des Églises tel qu'il se voit sous un aspect juridique, en premier lieu par sa constitution et d'autres documents, le rapport le présente comme une organisation statique en mettant l'accent sur les structures actuelles et les efforts passés. Mais un tel accent est particulièrement inadéquat en un moment où, précisément, le Conseil œcuménique des Églises repense lui-même ses fonctions et ses structures à la lumière de l'évolution des besoins œcuméniques et en fonction de ses ressources en hommes et en argent.

L'ÉGLISE CATHOLIQUE voudrait demander au Conseil œcuménique des Églises :

a. Comment le Conseil œcuménique des Églises envisage-t-il ce que sera sa fonction principale à l'avenir ?

b. Quelle est, dans la poursuite de ses buts, la véritable échelle des priorités ?

c. De quelle sorte de Conseil œcuménique des Églises, nouveau ou réformé, l'Église catholique sera-t-elle membre ?

3. *L'engagement actuel des Églises membres du Conseil.*

Le rapport mentionne rarement les Églises membres comme telles. Il répète quelles sont, en principe et en fait, les différences entre l'autorité du Conseil œcuménique des Églises et celle de l'Église catholique. Mais il est bien plus important d'évaluer franchement les ressemblances et les différences existant, en principe et en fait, quant aux procédés utilisés pour aboutir aux décisions, quant à l'autorité de ces décisions et quant à la façon de les appliquer dans les différentes Églises, tant dans les Églises membres que dans l'Église catholique.

– Comment et dans quelle mesure le Conseil œcuménique des Églises influence-t-il, en fait, la pensée, les décisions d'orientation générale et les programmes d'action des Églises : en ce qui concerne leur propre vie interne ; en ce qui concerne les autres Églises ; en ce qui concerne le monde ?

– Même si aucun obstacle juridique ne s'oppose au *membership* de l'Église catholique, certains catholiques se demandent encore : vaut-il vraiment la peine de devenir membre ? Est-ce qu'un futur *membership* constituerait un acte œcuménique plus responsable que le fait de n'être pas membre ? Pour répondre à ces questions, il leur serait utile de savoir comment les Églises membres elles-mêmes ont jugé que l'effort en valait la peine et engageait leur responsabilité aux plans mondial, national et local. Par exemple :

– Est-ce que chaque Église membre estime que « son caractère spécial » a été sauvegardé, qu'elle n'a pas

« compromis ses convictions en matière de doctrine ou de nature de l'Église » (p. 5, 1. 21-23) ?

– Selon quels processus les déclarations sur l'unité de la troisième et de la quatrième assemblée ont-elles reçu une large approbation (p. 6-7) ? Est-ce que la Déclaration de Toronto a encore, sur les Églises, la même influence qu'elle avait en 1950 ?

– Avec quelle fréquence les Églises membres, comme telles, ont-elles « endossé » les déclarations et les actes du Conseil œcuménique des Églises, ou les ont-elles rejetés, ou ont-elles proposé une ligne différente (p. 9, 1. 7-9) ? Est-ce que, en fait, les Églises membres considèrent l'absence de veto de la part d'une autre Église comme étant, au moins, un endossement implicite de la part de celle-ci ?

– Quelle sorte de mécanisme est utilisé pour donner une égale publicité aux déclarations minoritaires ?

– Dans quelle mesure et pourquoi l'engagement dans l'association du Conseil œcuménique des Églises et dans sa continuelle croissance varie-t-il largement et pourquoi est-il fréquemment réexaminé par le Conseil œcuménique des Églises et ses membres (p. 10, 1. 28-31) ?

– Dans quelle mesure est fondée la crainte que la discipline des Églises membres concernant le culte, en particulier la participation à l'Eucharistie, puisse ne pas être entièrement respectée au sein du Conseil œcuménique des Églises et, qu'en fait, une pression subtile soit exercée pour amener des compromis ou une violation de cette discipline (p. 11, 1. 14-17) ?

– Est-ce que les Églises membres estiment que le Conseil œcuménique des Églises fait obstacle aux conversations bilatérales ou multilatérales qu'elles ont entre elles, ou qu'il les facilite ; qu'il laisse entière liberté pour de telles relations (voir p. 25, n° 6) ?

4. *La part prise par les catholiques dans les engagements œcuméniques qui se développent actuellement dans leur Église.*

C'est aussi en termes d'abstraction juridique que le rapport présente l'Église catholique ; sa vie œcuménique est manifestée en premier lieu par les déclarations normatives du IIe concile du Vatican, comme si leur acceptation et leurs implications se reflétaient de façon égale dans les actes de tout laïc, prêtre et évêque, et cela à tous les niveaux de la vie de l'Église.

– Dans quelle mesure les catholiques romains sont-ils effectivement œcuméniquement engagés aux niveaux national et local ?

– Quelles sont, actuellement, les relations romaines-catholiques avec les conseils locaux et nationaux ?

– Quel prix leur accorde-t-on ?

– Dans quelle mesure les présentes relations entre l'Église catholique et le Conseil œcuménique des Églises influencent-elles la pensée, les décisions d'orientation générale et les programmes d'action de l'Église catholique : en ce qui concerne sa propre vie interne, ses relations avec les autres Églises et avec le monde ?

D'un engagement accru de l'Église catholique dans le mouvement œcuménique on peut attendre qu'il exerce quelque influence sur la situation présente au sein de l'Église catholique. En elle sont posées des questions concernant l'autorité épiscopale et papale, le rôle de l'institution dans la vie de l'Église, la collégialité et la subsidiarité, le rôle du laïcat, le contenu même de la foi.

Ces tensions peuvent, en fin de compte, se révéler créatrices ou, au contraire, être déjà facteurs d'accélération d'une crise. L'influence de l'engagement œcuménique sur ces tensions devrait faire l'objet d'une étude supplémentaire ; celle-ci est demandée tant par le réalisme pastoral que par la responsabilité œcuménique.

– En particulier : le *membership* de l'Église catholique accroîtrait-il ces tensions ; en favorisera-t-il les aspects positifs ou n'aura-t-il pour effet que d'encourager ses aspects négatifs ?

– Les catholiques romains pensent-ils que le mouvement œcuménique contribue positivement à résoudre la « crise de la foi » générale, qui se fait sentir parmi l'ensemble de tous les chrétiens ?

Il serait utile de passer en revue l'expérience actuelle de la participation catholique romaine aux activités et consultations organisées par le Conseil œcuménique des Églises

(ou les organismes connexes travaillant au niveau conti-
nental, par exemple la conférence chrétienne de l'Est
asiatique).

Commentaires plus spécifiques
sur le rapport du Groupe mixte de Travail

1. Page 6, 1. 4-6 : Le Conseil œcuménique des Églises
est décrit comme « une forme structurelle exprimant une
communion déjà existante », et « visant à conduire à une
communion plus parfaite ». P. 6, 1. 18-19 : Il est également
décrit comme « s'employant à travailler pour l'unité de
l'Église ».

Cependant, quelques-uns se demandent : « Est-ce qu'en
fait le Conseil œcuménique des Églises ne semble pas agir
comme si la seule unité à chercher était celle de favoriser
les relations fraternelles et la collaboration entre les Églises,
donnant ainsi l'impression de devenir un instrument de cristallisation et de justification des divisions existantes ? » Une
réponse à cette question paraît désirable.

2. Page 9, 1. 9 – page 10, 1. 21 : Le rapport ne rend pas
compte de façon adéquate de ce que le Conseil œcuménique des Églises a accompli effectivement à ce jour. Il
n'indique pas assez clairement son potentiel de développement ultérieur.

3. Page 13, 1. 32-42 : Les activités œcuméniques positives de l'Église catholique ne sont indiquées que partiellement. Une recherche supplémentaire devrait être faite quant
à l'étendue de la participation romaine catholique au
mouvement œcuménique, en particulier aux niveaux local et
national.

4. Page 14, 1. 23-26 : Certains craignent que l'accent mis
actuellement sur les questions de développement social
et économique n'accorde pas un poids suffisant aux considérations ecclésiales fondées sur la révélation et trahit
même une certaine indifférence à leur égard. Cet accent,
c'est leur crainte, tend à détourner l'attention de la
recherche de l'unité dans la foi et la communion visible
« afin que le monde puisse croire ». On en peut déduire que

la relation entre le département de Foi et Constitution et tous les autres départements du Conseil œcuménique des Églises devrait être clarifiée.

5. Page 15, 1. 4-7 : Le rapport ne donne pas une attention suffisante au premier type de relations (c'est-à-dire l'évolution de structures coordonnées). Une étude supplémentaire devrait être faite de ce point spécifique.

6. Page 26, 1. 19-25 : L'augmentation des langues officielles manifeste aussi l'inévitable accroissement de tension qui se produira lorsqu'une forte représentation latine (d'Italie, Espagne, Portugal, Amérique latine) fera son entrée dans le Conseil œcuménique des Églises où est prédominante une participation anglophone. Il faut noter que cet accroissement de tension porte plus loin que le domaine des langues et impliquera une question plus profonde de mentalité et de culture.

7. Page 27, 1. 32 – page 28, 1. 31 : Le *membership* catholique ne peut escompter que les votes catholiques seront unanimes, ni que les tensions existant actuellement dans l'Église catholique romaine ne se manifesteront pas. En outre, plus que ce ne peut être le cas pour toute autre Église membre, l'Église catholique, par le Saint-Siège, peut se voir contrainte d'exprimer publiquement son dissentiment de crainte que son silence ne soit pris pour une approbation tacite. Comment les autres Églises membres réagiraient-elles à cela ?

8. Page 28, 1. 1-31 : À cet égard, la question de l'engagement des Églises comme telles dans les questions politiques a besoin d'être examinée de plus près. C'est là un des plus importants développements dans l'ensemble du champ œcuménique et il demande à être éclairci avec soin car les « décisions concernant l'action » peuvent conduire à des engagements (ou désengagements) plus grands et plus immédiats que les déclarations concernant la théologie.

ANNEXE V
UN « QUESTIONNAIRE » ADRESSÉ PAR ROME À GENÈVE
(MAI 1971)

Note introductive.

Ce document, daté du 31 mai 1971, est adressé par le
cardinal Willebrands aux dirigeants de Genève afin de leur
poser pas moins de trente-quatre questions. Le titre officiel
pourrait faire croire qu'il ne s'agit que de quelques questions posées afin de préciser une étude en cours, alors que
de fait il s'agit bien d'un flot de trente-quatre interrogations.
Celle-ci sont énumérées sous cinq rubriques principales qui
concernent :
    A. l'ordre des priorités du Conseil œcuménique des
Églises ;
    B. la nature des relations du Conseil avec les Églises
membres ;
    C. l'influence de l'adhésion au Conseil sur la crise inté-
rieure des Églises ;
    D. dans quelle mesure l'adhésion de Rome constitue une
question concrète pour les membres ;
    E. les relations entre les services et les départements de
Genève et les membres de l'Église catholique en cas d'adhésion de celle-ci.
    Une réunion est organisée au Centre des rencontres à
Cartigny à la fin de juin 1971. Le but de cette réunion n'est
pas de *négocier* mais de *clarifier* certaines idées qui cir-
culent dans des milieux catholiques, ainsi que l'introduction
du document l'indique explicitement.
    La délégation de Genève comprend six personnes diri-
geantes, à savoir le Dr E. C. Blake, le père V. Borovoy,
R. Davis, C. I. Itty, L. Niilus et le pasteur Lukas Vischer qui
prépare activement la rencontre.
    En préparation de la rencontre de Cartigny, ces membres
du staff se partagent les questions posées, mais seules
quelques-unes des réponses élaborées alors nous sont
parvenues...

Dans la lettre de convocation que le Dr L. Vischer adresse le 16 juin 1971 au staff du Conseil œcuménique, il plaide en faveur des travaux en cours au Secrétariat romain. Il écrit notamment : « As I told you orally, the Secretariat for Promoting Christian Unity in Rome has expressed the wish to meet with some members of the World Council of Churches' staff in order to discuss a number of problems which have emerged in the discussion of Roman Catholic membership in the World Council of Churches. As you know, the issue of membership has been extensively discussed by the Joint Working Group. I am sending you a copy of the report which has resulted from that discussion. Of course, the question must now be taken up by the Roman Catholic Church. The Secretariat for Unity has made the first steps. Last November, the report has been submitted to the Plenary Session of the Secretariat. The discussions revealed that the Roman Catholic bishops have questions and hesitations on membership in the World Council which are not yet answered by the report. Therefore, the Secretariat for Unity will have to produce an explanatory commentary on the report. They would like to consult us as they engage in drafting this commentary. »

Ainsi que nous l'avons indiqué précédemment, la lecture de ces trente-quatre questions donne davantage l'impression de se trouver devant une sorte d'interrogatoire que devant « quelques questions ». Quoi qu'il en soit, la rencontre de Cartigny a lieu après la session du Groupe mixte de Travail à Stuttgart, qui avait déjà marqué un certain recul du *membership*.

Selon un témoignage récent du Dr L. Vischer lui-même, c'est à l'occasion du questionnaire de Cartigny qu'il a ressenti que l'atmosphère avait quelque peu changé.

Quant à l'origine concrète du questionnaire, un grand nombre de questions posées semblent trouver leur inspiration en dehors du Secrétariat pour l'Unité et être le reflet du milieu romain non œcuménique.

Texte du document.

Some questions concerning Roman Catholic Membership in the World Council of Churches

Roman Catholic membership in the World Council of Churches demands serious consideration by both parties. It is recognized that primary responsibility for officially proposing its candidature depends on the Roman Catholic Church. In making its decision, the Roman Catholic Church must ask itself, will membership or non membership be the more constructive contribution it can make to the ecumenical movement. Application for membership should be an ecumenically responsible act. The Roman Catholic Church feels that this is not merely a process of eliminating difficulties that seem to stand in the way. The absence of reasons against is not in itself a positive reason in its favour. The question must be decided in the light of the greater services of the ecumenical movement to which, in common with all Christians, the Roman Catholic Church sees itself called by the Holy Spirit.

The research already made into the subject of Roman Catholic membership in the World Council of Churches has been useful for giving information and clarifying certain points. However, many important questions remain in the minds of Roman Catholics, especially in regard to distinguishing theory from actual practices. It has been felt useful to bring these questions to the attention of authorities of the General Secretariat of the World Council of Churches. It is hoped that a frank discussion of them will aid the discussion of membership now going on in the Roman Catholic Church. The objective underlying the discussion of these points by members of the staff of the Secretariat for Promoting Christian Unity with qualified exponents of the World Council of Churches staff is not negotiation nor the presentation of a revised joint report. What is sought is a clarification of some of the ideas being expressed in Roman Catholic circles so that the eventual report to be made to the Roman Catholic bishops by the Secretariat for Promoting Christian Unity will be a more adequate instrument for their consideration of the question.

It is to be understood that not all of the concerns expressed in the questions given below are necessarily shared by the members of the Secretariat for Promoting Christian Unity or by those Roman Catholics who have had intimate contact with the World Council of Churches. However, they are felt by important segments of the members of the Roman Catholic Church and need to be given serious consideration.

It seems that the points needing further clarification can be grouped under the following headings :

A

Among the numerous activities of the World Council of Churches, what place does the search for visible unity of all Christians in one single Church of Christ occupy today ? What is the order of priorities ?

1. In the common effort of Christians towards unity, there are tensions between the manner in which different Christian Churches understand the unity they seek. This tension is a manifestation of the diversity of their ecclesiologies in which the emphasis is put on one or other World Council of Churches what emphasis is given to the understanding of the unity in the Church as something which is expressed visibly in the sacramental communion of the baptized in the profession of one faith with an organized structure which supports and furthers this communion (in other words, a corporate union) ?

2. Have the Third and Fourth Assembly statements on Unity become widely accepted ? By what processes have they become accepted ? Do they affect the thinking and policies of the member churches and of the World Council of Churches as a whole ?

3. Furthermore, at the Conference of Faith and Order (Bristol, 1967), the thesis on the pluralism of New Testament conceptions of unity was developed and favourably received. If this thesis is acceptable to the World Council of Churches, are we not faced with a rejection of the search for

a « corporate union » or an organic union, such as that described at New Delhi ?

4. Some fear that the actual emphasis given to the questions of social and economic development does not give sufficient weight to ecclesial considerations based on Revelation, and even betrays indifference to them. This emphasis seems to distract general attention from the search for unity in faith and visible communion « in order that the world may believe ». There is a desire to know what is the relationship between Faith and Order and the other departments, divisions etc. of the World Council of Churches. What influence do the concerns of Faith and Order have on these other sections ?

5. Does not the World Council of Churches in fact seem to act as if the only unity to be sought is improvement in fraternal relations and in increased collaboration between the Churches, and so give the impression of becoming an instrument for crystallizing and justifying existing divisions ?

6. If the ecumenical movement is a movement of Churches, all conciliar structures should be at the service of the Churches helping them to grow together towards full Christian unity. However, does there not seem to be a tendency towards transferring to councils the main ecclesial functions of the Churches ?

B

What is the relationship between the World Council of Churches and the member churches ?

1. Within the one ecumenical movement is there not a logical priority of Churches over councils of Churches ? In the evolution of the ecumenical movement, should this not receive adequate expression in structures, in consultation and in practice ?

2. In recent statements and actions, the World Council of Churches gives the impression of trying to act as the Church, at least in embryo. This comes out in discussions concerning the general assembly and its role (e.g., during

the discussions of the Structure Committee). In what sense are assemblies and other meetings of the World Council of Churches considered as representing the Church ? Upon what basis of its understanding of the Church does the World Council of Churches determine the composition of such meetings, e.g. fixing certain number of clergy, laity, women, etc. ?

3. To what extent does membership commit a church ecclesiologically ? Is it still true to say that the Toronto Statement (1950) adequately describes the ecclesiological implications of membership ?

4. Concretely, what is the influence of the World Council upon the thought, upon the general lines of policy and upon the programmes of the member Churches ?

a. What importance do the member Churches give to World Council of Churches decisions ?

b. In what way do the Churches in fact « study and consider » World Council of Churches decisions ?

c. How has membership in the World Council of Churches in fact helped the member Churches at their own level, even now to share their life, to bear joint witness to the Gospel and to strive together to serve the whole of mankind through the promotion of justice and peace ?

d. How does the World Council of Churches in fact influence the thinking, the policy decisions and the action programmes of the member Churches ; in relation to their own internal life ; in relation to other Churches ; in relation to the world ?

e. Do ordinary members of member Churches feel committed to the ecumenical movement because their Churches belong to the World Council of Churches ?

f. How warranted is the fear that the discipline of member Churches concerning worship, especially Eucharistic sharing, may not be totally respected within the World Council of Churches, that in fact subtle pressure for compromise or violation of such discipline may be exerted ?

5. Conversely, what part do the member Churches play in the activities and the major decisions of the World Council of Churches ? For example :

a. How often do the member Churches, as such, endorse World Council of Churches statements and actions, reject them or propose a different line ? Do the member Churches and the World Council of Churches in fact regard a non-veto from another Church as at least implicit endorsement ?

b. What kind of machinery exists for issuing minority reports and giving adequate weight to them ?

c. To what extent, and why, does the commitment to the World Council of Churches fellowship and its ongoing growth vary widely, and how is this frequently re-examined by the World Council of Churches and its members ?

d. If the member Churches wish to make statements concerning their beliefs or their moral commitments, does their membership in the World Council of Churches inhibit them in doing so ? Does the World Council of Churches as such feel free to issue dissenting statements. For example, if the Roman Catholic Church had been a member in 1968, would it have been possible to make a statement about *Humanae Vitae* ?

e. How justified is the impression held by some Catholics that the World Council of Churches staff, in its manner of operating, acts in such a way that it is independent of the Churches ?

f. Does the World Council of Churches tend at times to serve as a « court of appeals » for individuals or groups against actions taken by their own Church authorities ?

C

What is the concrete impact of membership of the World Council upon the interior crisis through which most Christian Churches are passing ?

1. There are many tensions existing in all Churches. Is the activity of the World Council of Churches creative in promoting the positive values of these ? Does it not give the impression of emphasizing the negative aspects and thus of accelerating the crisis ?

2. The impression is given that the World Council of Churches is more and more giving emphasis to the contestatory elements in the Churches as against the institutional structures. How valid is this impression ? If there is some basis to it, how does the World Council of Churches clarify these tactics ?

3. Does the « anti-institutional » movement affecting Christianity serve as a motive for membership or rather isn't the exact opposite true ? Certain people think that rather than create further institutional ties, each Church should reflect on its own basic structures in order to verify them and justify them to those who question them. What is your opinion ?

D

To what extent can it be said that membership of the Roman Catholic Church in the World Council of Churches is a real and concrete question for the members of the World Council of Churches, as distinct from those belonging to the central organs of the World Council of Churches ?

1. Is Roman Catholic membership in the World Council of Churches felt to be necessary op particularly desirable in order to encourage relationships on the local and regional levels ?

2. Do member Churches have the impression that Roman Catholics feel they should be members of the World Council of Churches in order to enter into meaningful relationships on other levels ?

3. If the Roman Catholic Church were a member, it may feel obliged to issue official disclaimers, through the Holy See, of actions or decisions taken by the World Council of Churches, lest silence be taken as implicit approval ? How would the other member Churches react to this ?

4. The interest of the World Council of Churches shows in Christian Councils and the way in which it underlines each Roman Catholic entrance into a local or national Council could give the impression that this is a new way for achieving RC membership in the World Council of Churches by means of these Councils.

E

If the Roman Catholic Church were a member what would be the relationships between the General Secretariat, Departments, Divisions, etc. and members of the Roman Catholic Church ?

1. Would relationships be maintained through official organs of the Roman Catholic Church or would the World Council of Churches feel free to continue to enter into direct contacts with individual Catholics or organizations, even if these did not enjoy official favour ?

2. In other words, how far does the World Council of Churches feel it must respect the particular hierarchical structure of the Roman Catholic Church which, on a world wide scale, differs greatly from that of any other member church ?

3. Can the Roman Catholic members of the Faith and Order Commission (particularly those of the Working Committee) play a real role in the Commission ?

4. Some feel that the invitation to enter into certain Commissions of the World Council of Churches as members (CMC, CCPD...) may be a way of leading us to membership in the World Council of Churches via facti. Is there a basis to this ?

5. What is the concrete meaning of the statement in the report of the Structure Committee approved at Addis Abeba (n. 125, page 183) : « The World Council should at any time be ready to take up such structure problems as may arise from conversations with the Roman Catholic Church on the possibility of membership in the Council » ?

(May 31. 1971)

ANNEXE VI
DERNIÈRE PAGE DU RAPPORT CONCLUSIF
PAGE OMISE LORS DE LA PUBLICATION FINALE
DU RAPPORT (JUILLET 1972)

Note introductive.

Après avoir situé rapidement les quatre versions successives du rapport final « Pattern of Relations between the Roman Catholic Church and the World Council of Churches », qui ont déjà été énumérées précédemment dans cet ouvrage, il faut encore chercher à détecter à quel moment la page ultime de ce rapport a été omise. Car nous savons qu'il manque une dernière page à la version publiée finalement en juillet 1972 (dans *The Ecumenical Review*).

Selon notre calendrier, l'omission en question est survenue entre le texte B et le texte C. En d'autres termes, la page disparue par la suite se trouve encore à la fin de la version B (p. 36), tandis qu'elle manque dans le texte C *in fine*. Or le texte B provient des travaux que le Comité des Six a effectués le 20 juin 1970 pour reprendre les remarques et suggestions faites à la réunion du Groupe mixte de Travail en mai à Naples. Ensuite, cette mise au point par le Comité des Six fait l'objet d'une nouvelle délibération de l'*Officers Meeting* le 1ᵉʳ août 1970.

À la suite de celle-ci, le Comité des Six est convoqué à Cartigny et y travaille avec la collaboration de l'*Officers Meeting* du 12 au 15 août 1970. Le texte qui en sort compte 33 pages. La version qui en résulte s'appelle pour nous texte C. La page omise que nous reproduisons ici n'en fait plus partie.

Si notre hypothèse de travail est exacte, l'ultime page du rapport « Pattern of Relationships » a été probablement rayée à la réunion du 12-15 août 1970. Si l'omission en question a un sens, c'est bien – nous semble-t-il – celui d'un certain retrait à l'égard de promesses trop explicites quant à l'avenir. Si cette interprétation de notre calendrier est exacte, elle vient confirmer notre hypothèse antérieure selon laquelle c'est en août 1970 que « le vent tourne ».

Il n'était donc pas sans intérêt de reproduire ici une « page omise » qui, autant que nous sachions, n'a pas retenu l'attention des dirigeants de l'époque ni des historiens d'aujourd'hui.

Texte du document.

The Joint Working Group is convinced that the question should receive appropriate attention and careful study not only by the authorities in whose hands rest the final decision but also by all who would be particularly affected by Roman Catholic membership. It therefore recommends a widespread consultation within the Roman Catholic Church in the first instance but also on the part of the World Council and its member Churches. If a positive decision on the question is to be taken, the reasons for it must be understood by the Churches and their members at large. Roman Catholic membership in the World Council of Churches is not a goal in itself. It should be carefully examined in the light of the exigences of the one ecumenical movement. It must be felt as an urgent response to the Holy Spirit's speaking to the Churches.

On the basis of this wide study, the authorities of the Roman Catholic Church, in conformity with their own proper procedures, would decide whether an application for membership should be made. If their decision is positive, the appropriate organ of the World Council of Churches (the Assembly or the Central Committee), having become more completely aware of the implications of Roman Catholic membership for its own developing life, will be in a position to act upon such an application.

SECONDE SÉRIE D'ANNEXES

TÉMOIGNAGES DIVERS REÇUS AU COURS DE NOS RECHERCHES (1988-1989)

Note introductive.

Le père Stjepan Schmidt (originaire de Croatie où il est né en 1914) fut pendant de longues années (1959-1968) le secrétaire privé du cardinal Augustin Bea, proche collaborateur de Jean XXIII et fondateur à Rome du Secrétariat pour l'Unité. Il est l'auteur d'une biographie monumentale du cardinal A. Bea (1 050 pages) parue en 1987. À partir de 1970, il entre au service du Secrétariat pour l'Unité.

La correspondance que le père St. Schmidt eut l'obligeance de nous adresser nécessite un mot d'explication. À la suite de sa première réponse, datée du 5 décembre 1988, nous avions adressé à l'auteur une copie de la version finale des résolutions A et B de la *Plenaria* de novembre 1970, dont il semblait ignorer l'existence et nous lui faisions part du vote de cette résolution. C'est à la suite de cette démarche que le père Schmidt a bien voulu nous donner, le 16 janvier 1989, les précisions significatives que l'on lira ici.

Texte des lettres du père Stjepan Schmidt.

5 décembre 1988

Cher Professeur Grootaers,

Veuillez excuser le retard de cette réponse à votre lettre du 24 octobre. Plusieurs travaux urgents ont pris tout mon temps et en plus la question se présentait un peu compliquée.

Étant donné qu'ici on n'aime pas déroger à la règle selon laquelle les archives ne sont pas accessibles, j'ai pensé à chercher une solution de compromis, c'est-à-dire de contrôler moi-même nos archives et de vous en communiquer la substance des résultats. Après avoir fait cette recherche, je pense pouvoir vous communiquer ce qui suit :

1. Dans la plénière 1970, la seule qui s'est occupée de la question, n'existe *aucune* résolution sur la matière. Il y a beaucoup de résolutions sur d'autres matières, mais aucune sur ce problème.

2. La phrase citée par vous sur « de sérieuses réserves » formulées par la plénière ne regarde pas la question de l'adhésion de l'Église catholique au Conseil œcuménique des Églises, mais l'insuffisance du *document* du Groupe mixte de Travail regardant le problème de l'adhésion. En fait la phrase en question parle des aspects positifs « of the document » et ajoute « still it had strong reserves as to the adequacy *of the document* for resolving the questions it poses ».

J'espère que cette réponse vous satisfera.

Avec mes vœux les meilleurs pour les fêtes de Noël et de Nouvel An. Bien vôtre

Stjepan Schmidt s. j.

16 janvier 1989

Monsieur le Professeur,

Je vous remercie de votre aimable lettre du 23 décembre et surtout de m'avoir averti de mon erreur. À ce propos je vous dirai tout simplement qu'en 1970 je n'étais pas encore au Secrétariat ; c'est pourquoi je n'ai pas participé à la plénière en question. Dans une telle situation, il est plus difficile de s'orienter sur les documents. En plus, le document dont vous m'avez envoyé la photocopie ne se trouvait pas dans le fascicule « résolutions » et m'a échappé. Je dis avec le psalmiste : « Bonum mihi quia humiliasti me » (118, 7).

Quant à votre question, vous avez très justement supposé qu'il y a eu un vote conclusif. Toutefois veuillez noter que de la longue résolution du document n° 175 on n'a voté que la résolution A = n. 13 (sans référence aux subdivisions) : *problema... ulteriori studio indigere* avec l'avertissement de ne pas perturber l'opinion publique en suscitant des attentes… La résolution a été acceptée presque à l'unanimité.

J'espère que de cette manière la question soit définitivement clarifiée et je vous prie d'agréer mes vœux les meilleurs.

Bien vôtre dans le Christ,

Stjepan Schmidt s. j.

Note introductive.

Miss Rosemary Goldie, née à Sydney en 1917, appartient à la génération qui, au lendemain de la guerre de 1939-1945, a fondé les grands mouvements de l'apostolat des laïcs. Elle fut au concile Vatican II comme une des premières « auditrices » et, après le concile, chargée de l'animation du nouveau « Conseil pontifical pour les laïcs » au Vatican.

Il y a quelques années, elle n'a pas hésité à publier ses mémoires personnelles après avoir passé cinq décennies au service du monde, de l'Église et du laïcat catholique, sous le titre *From a Roman Window* (Sydney-Londres, 1998). Rosemary Goldie est l'auteur de nombreuses publications, depuis *La Lignée de Péguy* (1951) jusqu'à la pensée sociale du cardinal Pietro Pavan, *Prophet of our Times* (1992).

Très tôt initiée à la problématique œcuménique, le Secrétariat pour l'Unité fera souvent appel à Rosemary Goldie pour des consultations d'experts et on la retrouvera aussi à des concertations interconfessionnelles, particulièrement quand il s'agissait du rôle de la femme dans les Églises.

En raison des différents aspects de la personnalité de Miss Goldie, il nous semble que l'histoire de Vatican II, mais aussi de l'après-Concile, ne pourra pas être écrite de manière nuancée sans le témoignage de cette intellectuelle engagée et sans la consultation de ses archives.

L'intérêt principal ici de la lettre datée du 28 novembre 1988 se trouve dans le passage où elle nous écrit que la décision d'une attitude réservée est probablement venue de « plus haut », une expression qu'à Rome tout le monde comprend tout de suite. La lettre du 23 décembre 1988 éclaircit particulièrement la procédure de la consultation de juin 1969, organisée en vue de la *Plenaria* de l'automne de la même année. Le rapport de cette consultation préparatoire se trouve reproduit ci-dessus comme ANNEXE II.

Textes des lettres de Rosemary Goldie.

28 novembre 1988

Cher Jan,

Merci de votre lettre du 14 novembre. […]

En ce qui concerne la question de l'entrée de l'Église catholique dans le Conseil œcuménique des Églises, vous me « rappelez » quelque chose dont je ne trouve pas trace dans mes papiers ! Ai-je vraiment collaboré en octobre 1970 à la préparation de la plénière de novembre 1970 du Secrétariat pour l'Unité ? C'est possible, mais je ne trouve rien. Ce qui est certain, c'est que j'ai participé à une série de réunions en juin 1969 pour examiner la question du *membership*. Ces discussions en petit groupe ont été résumées dans le document ci-joint à l'intention de la plénière 1969. D'autre part, je doute que la décision de remettre l'éventuelle adhésion au Conseil œcuménique des Églises ait été prise par la plénière en tant que telle. Elle est probablement venue de « plus haut ». D'ailleurs la question semble être restée « ouverte » (formellement, mais sans espoir !) jusqu'en 1972 – voir le rapport de Lukas Vischer sur le Groupe mixte de Travail (1972). Et, dans sa confé rence de mars 1970 (ci-jointe[1]), le cardinal Willebrands parlait d'une consultation éventuelle des conférences épiscopales.

Je pense en tout cas que les questions pastorales ou d'ordre organisationnel qui entraient en cause ressortent

---

1. Extrait d'une conférence du cardinal Willebrands, donnée le 11 mars 1970 à propos de « L'œcuménisme, 1969-1970 », et parue dans *La Documentation catholique* 67 (4 octobre 1970) 869 : « Disons un mot du problème de l'entrée de l'Église catholique dans le Conseil œcuménique des Églises… Après la prise de position personnelle du Saint-Père à l'occasion de sa visite au Centre du Conseil œcuménique à Genève, a été instituée une sous-commission mixte (trois membres de chaque côté) chargée d'étudier les aspects théologiques et pastoraux de ce problème. Il est cependant possible que les conférences épiscopales devront également être consultées sur ce sujet. Il s'agit en effet d'une question qui concerne l'Église universelle. »

assez clairement du document « confidentiel » préparé pour la plénière en 1969.

Bien cordialement,

Rosemary Goldie.

23 décembre 1988

Cher Jan,

Merci de votre lettre du 7 décembre (reçue le 17).

Je réponds rapidement à votre question : non, je n'ai pas le document B. J'ai les documents A et C qui contiennent les points sortis dans les deux séances de *brainstorming* des 2 et 19 juin, présentés sans aucun ordre particulier. Mais je crois que vous avez tout l'essentiel du document B dans le texte que j'ai envoyé. La division A, B, C ne correspond pas aux trois points de ce document : Sujets – Objets – Méthodes. Tout était mélangé dans chaque séance – au moins dans les deux auxquelles j'ai participé, avec le cardinal Willebrands et des membres du personnel du Secrétariat (Mgr Gremillion y était aussi). Il se peut que le Secrétariat ait réuni le 7 juin un autre groupe de personnes. Puis, dans ce document 69/145, on a résumé et « organisé » tout le travail des 3 séances.

J'ai trouvé dans mes papiers un ou deux textes sans date qui sont peut-être de 1970, mais qui n'apportent rien de nouveau.

Pour ce qui concerne votre étudiant, c'est dommage qu'il ne puisse venir à Rome, mais je doute qu'il trouve ici tout ce qu'il faudrait pour l'histoire du Forum. S'il veut m'écrire pour me dire de quelle documentation il dispose déjà (à part ce que je lui ai envoyé) et quels sont les points sur lesquels il cherche plus de clarté, je verrai si je peux l'aider davantage.

Oui, j'ai été retenue pour le Colloque 1989 de l'Institut Paul VI ; mais le thème de mon intervention est encore à définir. On m'avait demandé de parler sur les rapports « directs » des Auditeurs avec Paul VI pendant la rédaction de la *Gaudium et spes* ; mais il est évident qu'il n'y en a pas eus (sauf l'approche que nous avons faite sur la question de

la contraception, et dont j'ai parlé la dernière fois). On m'a
dit qu'on en reparlera.

Tous me vœux pour ce temps de Noël et pour le Nouvel
An. Bien amicalement,

                                        Rosemary Goldie.

ANNEXE C
LETTRE DU PÈRE THOMAS STRANSKY
29 DÉCEMBRE 1988

Note introductive.

Le père pauliste Thomas Stransky, né aux États-Unis en 1931, a appartenu à la toute première équipe qui rejoint le cardinal A. Bea dès la fondation en 1960 du Secrétariat pour l'Unité à Rome, une institution qui, en son temps, fut considérée comme un tournant définitif dans la vie de l'Église catholique. Après une participation de tous les instants aux travaux du concile Vatican II, le père Th. Stransky poursuivit sans relâche ses engagements œcuméniques. De 1987 à 1999, il assuma le rectorat de l'Institut œcuméniques d'Études théologiques à Tantur, près de Jérusalem.

En ce qui concerne notre thématique, le père Thomas Stransky peut être considéré comme une des chevilles ouvrières du Groupe mixte de Travail (*Joint Working Group*) dès les débuts de cet organisme. Déjà en mai 1966, il fait partie du petit groupe d'études chargé d'étudier l'unité de l'action œcuménique : dans le rapport de cette époque, il pose déjà la question de savoir s'il est possible et s'il est souhaitable que l'Église catholique devienne membre du Conseil œcuménique des Églises. Son exposé sur l'unicité du mouvement œcuménique (en mai 1969) arrive à la conclusion que, tout bien considéré, cette adhésion pourrait à la longue s'avérer positive. Voir à ce sujet J. Wicks, « Collaboration and Dialogue. The Roman Catholic presence in the Ecumenical Movement during the Pontificate of Paul VI », *Paolo VI e l'ecumenismo*, Brescia, 2001, p. 217, 233, 238.

Les publications que Thomas Stransky a consacrées à l'histoire du Groupe mixte de Travail (notamment dans le septième rapport du Groupe mixte de Travail, paru à Genève en 1998) témoignent de son engagement dans les relations entre Rome et Genève. Il n'est pas sans intérêt de noter que le père Stransky a fait partie du comité rédactionnel restreint du *Dictionary of the Ecumenical Movement* (Genève-Grand Rapids, WCC Publications, 1991). On y trouvera une longue liste de ses contributions et notamment sur l'évolution du Groupe mixte de Travail.

Texte de la lettre du père Thomas Stransky.

29 décembre 1988

Dear Dr Grootaers,

A belated response to your inquiry of November 14, which was sent to my former address in New Jersey, USA. I am now the rector of Tantur.

The most detailed outline of the reasons for the Roman Catholic Church's official « No » to World Council of Churches membership is in my article « A Basis beyond the Basis », *The Ecumenical Review*, vol. 37 (April 1985), p. 218-220.

By the way, in a preliminary « consultative » vote, i.e. *before* the proposed consultation of the World Council of Churches churches and of the Roman Catholic Church, the majority of the Joint Working Group was in favour of membership ! And the *Plenarium* of the Secretariat for Christian Unity in November 1970 did *not* vote NO, but offered some additional questions – all of the major ones from the Joint Working Group and from the plenarium are in my article, p. 219.

If you publish anything on the subject, I would appreciate a copy. Your earlier writings are well known to me, and I thank you for your research and reflections. But in recent years, i.e. post-Vancouver, I have lost contact with any writings or books of yours. *Mea* culpa. Please send them along, and I would be most grateful.

Fraternally in Christ,

Tom Stransky.

P.S. – My regards to Gustave Thils, please !
    – Pass the word to prospective scholars for Tantur !

ANNEXE D
LETTRE DU CARDINAL JOSEPH BERNARDIN
7 FÉVRIER 1989

Note introductive.

Le cardinal Joseph-Louis Bernardin (né en Caroline du Sud en 1928 et décédé archevêque de Chicago en 1996) est considéré comme une des très grandes figures de l'épiscopat nord-américain, entre autres pour avoir inspiré une lettre pastorale sur la guerre et la paix qui a fait date, et aussi en laissant à son décès des « Réflexions personnelles » sur la maladie et l'approche de la mort. Ayant dans sa jeunesse collaboré aux travaux du Secrétariat romain pour l'Unité des chrétiens, il accepta en 1988 de se faire notre intermédiaire auprès des autorités du Secrétariat.

C'est grâce à sa démarche que le Secrétariat accepta de rédiger à notre intention une note autorisée qui nous a aidé à placer cet « ordre du jour inachevé » dans la juste perspective pour les historiens de l'avenir. Nous en remercions à nouveau les auteurs de cette note.

Texte de la lettre du cardinal Joseph Bernardin.

7 février 1989

Dear Professor Grootaers,

In response to your letter of October 18, 1988, I enclose a statement which I believe comprises the most accurate way of answering the questions that you raise in regard to the motives of the Plenary of the Secretariat for Promoting Christian Unity in 1970, vis-à-vis membership of the Roman Catholic Church in the World Council of Churches. The Plenary passed a resolution indicating that further study is needed, but did not make a decision approving or disapproving membership. I hope the attached statement will put that question in its proper perspective.

I regret the delay in answering your letter. Since it has been many years since I was involved with the Joint

Working Group, I thought it would be wise to consult with the Secretariat for Promoting Christian Unity on this matter. I received the Secretariat's response only a few days ago. I hope the information is useful to you.

With cordial good wishes, I remain,
Sincerily yours in Christ,

Joseph Card. Bernardin,

Archbishop of Chicago.

ANNEXE E
NOTE EXPLICATIVE RÉDIGÉE À NOTRE INTENTION
PAR LE SECRÉTARIAT POUR L'UNITÉ
(10 JANVIER 1989)
JOINTE À LA LETTRE DU CARDINAL JOSEPH BERNARDIN
(ANNEXE D)

Note introductive.

Nous devons à la bienveillance de feu le cardinal J. Bernardin, participant éminent aux activités du Groupe mixte de Travail, une note explicative que le personnel du Secrétariat pour l'Unité a rédigée à notre intention, à la demande de l'archevêque de Chicago. De cette note autorisée apparaît à nouveau le caractère restreint de la résolution de la *Plenaria* de novembre 1970. La note du Secrétariat est datée du 10 janvier 1989. On y lit :

Texte de la Note explicative du Secrétariat pour l'Unité.

On the Roman Catholic membership in the World Council of Churches

1. The SPCU [Secretariat for Promoting Christian Unity] Plenary of 1970 which Prof. Grootaers refers to, considered the matter, but did not in itself make the decision for or against membership of the Roman Catholic Church in the World Council of Churches. Rather, after consideration of the document proposed by the Joint Working Group, it passed a resolution indicating that further study is needed.

2. The document concerning Roman Catholic membership in the World Council of Churches, produced under authorization of the Joint Working Group, which included the arguments for and against Roman Catholic Church membership, was published in *The Ecumenical Review* of the World Council of Churches in the issue of July, 1972.

The preface of the document, signed by Cardinal Willebrands and Eugen Carson Blake, indicates that members of the Plenary of the Secretariat for Promoting Christian Unity had examined the revised text of the document and « had strong reserves as to the adequacy of the document for resolving the questions it poses » (p. 248).

3. In their preface, Cardinal Willebrands and Dr Blake indicate that more study on this question must be undertaken. They say : « The publication of this document, therefore, is not the end of a study, but an important step in a process of careful inquiry » (p. 249).

4. They indicate that at the time this document was published, Roman Catholic application for membership was not likely (« It is not expected that such an application will be made in the near future », p. 249).

5. This suggests that the arguments and questions raised against application for membership as reflected in the document were not resolved. Application was therefore premature. These arguments and questions that were published in the article therefore should be taken seriously.

6. The Plenary examined the document itself, as we said, but made no direct decision about membership.

(January 10, 1989).

ANNEXE F
LETTRE DU PÈRE ROBERTO TUCCI, S. J.
26 JANVIER 1989

Note introductive.

Dès les premières pages de notre récit, la figure originale du père Roberto Tucci est apparue à l'avant-plan. Très jeune encore, il fut nommé par Jean XXIII à la direction de la prestigieuse revue romaine *La Civiltà Cattolica*, pour y insuffler l'esprit œcuménique et ouvert qui allait porter l'ère annoncée par la convocation d'un concile général vers des horizons nouveaux.

Ainsi que nous l'avons indiqué, c'est un discours du père Tucci qui, au cours de l'été 1968, allait surprendre l'opinion des Églises et l'opinion générale en évoquant la possibilité d'une adhésion de l'Église catholique au Conseil œcuménique de Genève. On peut dire qu'il inscrivait ainsi à l'ordre du jour des chrétiens un grand projet. Dans la lettre reproduite ici, le père Tucci nous donne le sens véritable de son message de l'époque.

Texte de la lettre du père Roberto Tucci.

26 janvier 1989

Cher ami,

Avant tout un grand merci pour l'envoi de votre article sur Visser 't Hooft, que je viens de recevoir. Les objections qu'il faisait valoir dans l'entretien avec vous sont bien fondées, et je crois qu'elles indiquaient une préoccupation qui avait son pendant catholique : l'exercice de l'autorité, surtout doctrinale, dans l'Église catholique et dans le Conseil œcuménique des Églises, la crainte d'être engagé dans des déclarations ou prises de position doctrinales sans en avoir le dernier mot, ou d'être obligé de déclarer souvent le désaccord.

Peut-être il y a eu aussi le souci pastoral de n'être pas compris par ses propres fidèles, qui, par cette participation, auraient pu conclure que l'Église catholique avait renoncé à être la seule pleine réalisation de l'Église du Christ.

Pour ce qui regarde mon intervention à Uppsala, en 1968, je voudrais souligner que son but principal n'était pas de proposer l'entrée de notre Église dans le Conseil œcuménique des Églises, mais plutôt de demander que, dans la restructuration du Conseil œcuménique envisagée en ce moment-là, on laisse une porte ouverte à cette possibilité. En concluant, je pense que les dirigeants du Conseil œcuménique avaient autant peur de l'éventuelle entrée de l'Église catholique que celle-ci d'en devenir membre. En fait, l'étude d'une possible restructuration, permettant à l'Église catholique de participer, n'a jamais été poussée très loin.

Il me faudrait du temps pour dire plus, parce qu'il serait nécessaire de consulter les dossiers que j'ai déposés auprès des archives de *La Civiltà Cattolica*. […] C'est ainsi que je voudrais seulement attirer votre attention sur un dernier fait : ma conférence d'Uppsala n'a jamais été publiée dans *La Civiltà Cattolica*, et *L'Osservatore Romano* a publié, dans les jours suivant ma conférence, un article plutôt critique sur mon intervention, signé, me semble-t-il, par le Rév. P. Charles Boyer, s. j. Les réticences romaines étaient donc présentes dès le début.

J'espère, moi aussi, de vous rencontrer cette année à Rome. Si vous comptez y faire une visite, écrivez-moi un mot à l'avance.

Avec mes salutations les plus cordiales, et mes sentiments d'amitié en notre Seigneur,

Roberto Tucci, s. j.

INDEX DES NOMS

Table des matières

Composition et mise en pages : Facompo, Lisieux

N° d'édition : 13284
Achevé d'imprimer : mars 2005
Dépôt légal : mars 2005
N° d'impression : 8183